Sy

Sylvain Tesson a étudié la géographie et pratiqué l'escalade. Ses nombreux voyages lui ont inspiré une quinzaine d'ouvrages.

Après *La Chevauchée des steppes* (Robert Laffont, 2001), écrit en collaboration avec Priscilla Telmon, il a notamment publié *L'Axe du loup* (Robert Laffont, 2004), *Petit traité sur l'immensité du monde* (Les Équateurs, 2005), *Éloge de l'énergie vagabonde* (Les Équateurs, 2007), *Aphorismes sous la lune et autres pensées sauvages* (Les Équateurs, 2008), *Une vie à coucher dehors* (Gallimard, 2009) – prix Goncourt de la nouvelle –, *Dans les forêts de Sibérie* (Gallimard, 2011) – prix Médicis essai 2011 –, *Géographie de l'instant* (Les Équateurs, 2012), *S'abandonner à vivre* (Gallimard, 2014), *Berezina* (Guérin, 2015) – prix des Hussards –, *Sur les chemins noirs* (Gallimard, 2016) et *Une très légère oscillation* (Les Équateurs, 2017).

L'AXE DU LOUP

DE SYLVAIN TESSON
CHEZ POCKET

L'AXE DU LOUP
PETIT TRAITÉ SUR L'IMMENSITÉ DU MONDE
ÉLOGE DE L'ÉNERGIE VAGABONDE
GÉOGRAPHIE DE L'INSTANT

APHORISMES SOUS LA LUNE
avec des peintures originales de Michel PINOSA

APHORISMES DANS LES HERBES
avec des peintures originales de Michel PINOSA

OUVRAGES EN COLLABORATION :

ON A ROULÉ SUR LA TERRE
LA MARCHE DANS LE CIEL
avec Alexandre POUSSIN

LA CHEVAUCHÉE DES STEPPES
CARNETS DE STEPPES
avec Priscilla TELMON

ANAGRAMMES À LA FOLIE
avec Jacques PERRY-SALKOW

SYLVAIN TESSON

L'AXE DU LOUP

De la Sibérie à l'Inde, sur les pas des évadés du Goulag

ROBERT LAFFONT

ISBN : 978-2-266-15718-6

à Priscilla Telmon

« En voyage, on devrait fermer les yeux. »

BLAISE CENDRARS

« Que ma patrie soit la Russie
est une des grandes et mystérieuses certitudes dont je vis. »

RAINER MARIA RILKE

« Les pendus sont pendus, mais le bagne, c'est horrible. »

POUCHKINE

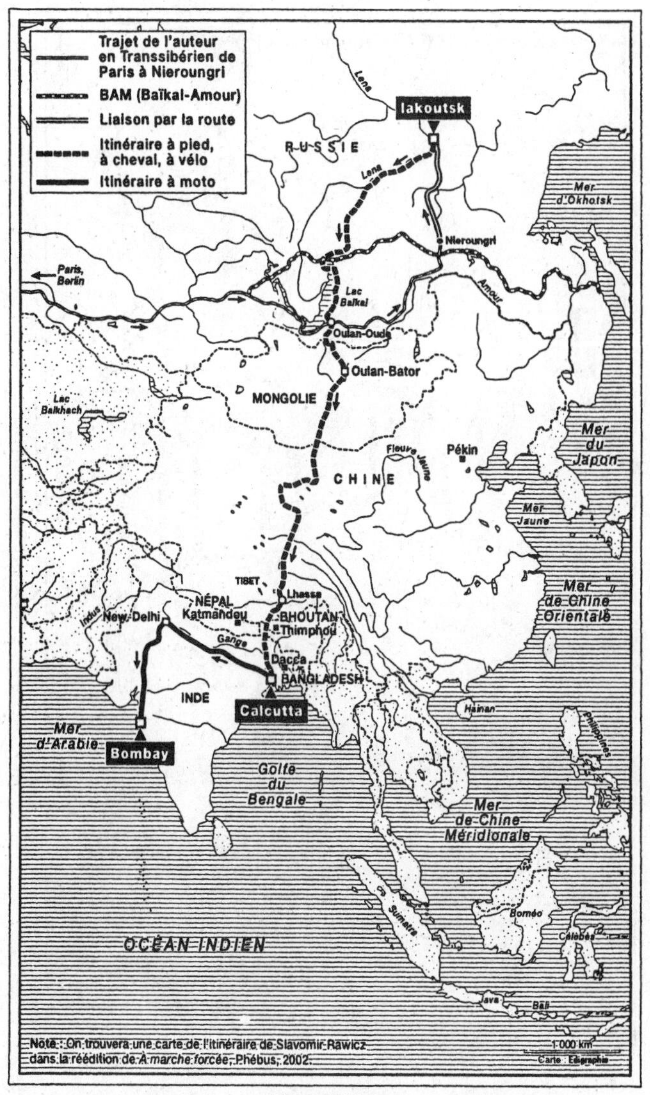

L'Axe du loup
De la Sibérie à l'Inde, sur les pas des évadés du Goulag

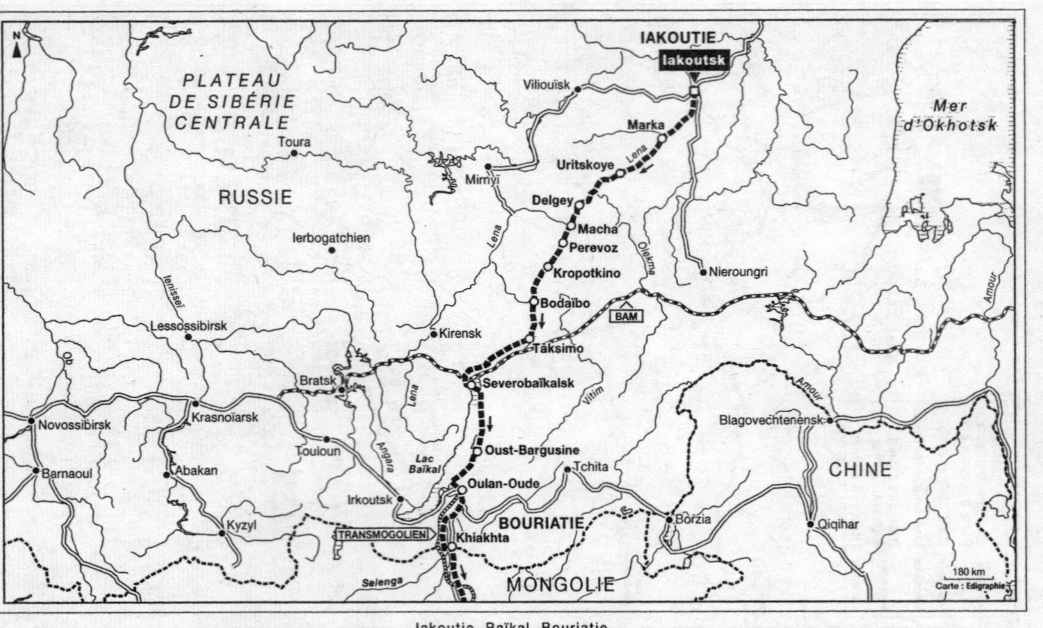

Iakoutie, Baïkal, Bouriatie

1
Paris-Berlin-Iakoutsk

mai

C'est triste un train qui part pour Berlin. Surtout quand on est dedans. J'ai quitté mon appartement parisien tout à l'heure. J'ai gagné la gare du Nord en métro. Je trouvais ça chic de prendre le métro pour aller en Sibérie. Le guichetier à qui j'ai demandé « un aller simple en première classe pour la gare du Nord » m'a répondu qu'on n'était pas il y a cent ans et j'ai pensé que j'aurais bien aimé.

Quelques amis sont là, sur le quai. Je leur crie avec une voix de soldat des années 1940 qui pense être de retour dans trois semaines :

– *Ich fahre nach Berlin.*

Personne ne trouve ça drôle.

Le train de l'Allemagne s'ébranle, je m'allonge sur ma couchette. Je pioche au hasard dans le gros sac de livres que j'ai pris soin d'emplir jusqu'à la gueule : *De la brièveté de la vie*, Sénèque. Je suis superstitieux avec le titre des livres. Je ne l'ouvre pas, je m'endors et le matin, c'est Berlin.

Quiconque possède quelques heures à Berlin doit aller visiter le musée du Mur. J'y passe l'après-midi avant d'attraper le train de Moscou. Il y a une salle consacrée aux évasions : pour passer à l'Ouest, des gens se sont cachés sous des moteurs de voiture, dans des valises ou des rouleaux de câbles, dans des cabas ou sous des uniformes soviétiques, un père de famille a fait glisser son fils le long d'un câble tendu de l'autre côté de la démarcation, une famille a passé des années à confectionner une montgolfière dans sa cuisine, un nageur a traversé la Baltique avec un propulseur sous-marin de sa fabrication, une mère a jeté son bébé par-dessus le mur (des complices avaient placé un matelas préalablement), beaucoup ont sauté d'immeubles de plusieurs étages qui donnaient directement sur la frontière, d'autres ont creusé des tunnels de cent cinquante mètres étayés par des crics de voiture. On se croirait au concours Lépine de la liberté. « L'évasion est source d'ingéniosité », dit d'ailleurs la pancarte à l'entrée des salles d'exposition. Assez souvent, ces évasions bricolées dans les arrière-cuisines des appartements communautaires de Berlin-Est réussissaient. Alors, quelques heureux fugitifs triomphaient de l'obsession des commissaires de l'Est à traiter les peuples comme des canaris, à leur confectionner des cages.

Le train marche à présent vers la Pologne, puis traverse la Biélorussie et la Russie occidentale. Même plaine et même nuit de part et d'autre des frontières. Seul change l'aigle qui frappe les insignes des douaniers. Il n'a qu'une tête chez les Allemands, une seule chez les Polonais, mais deux chez les Russes. Tant de sang depuis tant de siècles sur les landes de Mazurie et de Silésie pour débrouiller cette question de savoir quel était celui de ces rapaces qui devait contrôler la Pologne...

À Moscou, je reste le temps de faire deux choses. D'abord me recueillir devant la statue de

Vladimir Vissotski, le poète qui chantait la liberté avec de la limaille de fer dans le gosier et, ensuite, manger deux kilos de caviar arrosé à la bière Baltika n° 3 chez Jacques von Polier, mon ami, qui, en son temps, s'en fut à travers l'Eurasie à bord d'une Lada Niva, laquelle n'aurait normalement pas dû être capable de dépasser la Franche-Comté [1].

De nouveau, le train à destination de Nierioungri, Sibérie. Le trajet dure une semaine, via Novossibirsk. Je reste couché dans ma cabine la majeure partie de la journée. Par la fenêtre, je regarde défiler les bouleaux : ils sont le signal d'alerte du début des terres slaves. Un bouleau en cache toujours un autre et ce drôle de petit jeu se prolonge jusqu'au Pacifique.

Le Transsibérien, ce sont deux rails parallèles posés devant soi sur des milliers de kilomètres par décision du Tsar à une époque où rien ne justifiait qu'on fît un détour pour contourner une isba ou un village qui se seraient trouvés sur le tracé. Donc, ça va tout droit. La plaine passe et chaque minute est fidèle à la précédente. Von Paulus un jour que son panzer rendait l'âme, embourbé dans une fondrière, sortit la tête par la tourelle et, retirant son casque, soupira : « En Russie il n'y a pas de routes, il n'y a que des directions. »

Un soir, la nuit ne tombe même plus car nous sommes à la fin de mai et abordons les hautes latitudes. Un demi-jour laiteux fait la soudure entre le crépuscule et l'aube.

Lors d'une halte, deux Russes montent dans mon compartiment, Nina et Sergueï : ils reviennent

1. Voyage raconté dans *Davaï!*, Robert Laffont, 2002, Jacques von Polier et Julien Delpech.

de trois semaines de repos dans un sanatorium du Kazakhstan. Ils grimpent dans le train en traînant un sac militaire rempli de vivres. Ils mangent sans repos. Ils engloutissent les saucisses. Ils se ruent sur le saindoux. Ils avalent tout ce qu'ils peuvent. Ils boivent une bière tiède dans des bouteilles à l'étiquette frappée de cette promesse : « pas moins de 6° d'alcool ». Ils m'invitent à les aider : le sac est gros et ils ont l'air de vouloir le vider avant le terminus – dans trois jours. Ils se réjouissent de me gaver. Je n'ose plus descendre de ma couchette de peur de me retrouver coincé entre eux, forcé à bâfrer. Parfois je trouve refuge au wagon-restaurant où Loudmila-la-blonde, grosse et soûle comme une barrique, s'acharne à me servir des verres de vodka au lait, aussitôt que j'ai fini le bortsch. Et quand, repu et un peu gris, je pousse la porte de la cabine pour regagner ma couchette, Nina et Sergueï sont là, assis devant une gamelle de purée fumante, intacte :

– On vous attendait pour commencer !

Déjà onze jours écoulés depuis Paris. Cendrars prétend que « le train fait broum-roum-roum ». Je penche plutôt pour un rythme à quatre temps comme dans la fameuse mesure du *Roméo et Juliette* de Prokofiev : Tan-taran-tatan-taran-tatan. Dedans, les heures se dissolvent dans la torpeur, dehors, les boues se mélangent dans le *raspoutitsa* [1]. Le Transsibérien, c'est la débâcle du temps. Je plonge dans une sorte d'hibernation ferroviaire. Paresse où je me vautre avec délectation, sachant ce qui m'attend dans les mois à venir. Je me repose

1. Période de dégel.

tellement pendant la journée que je n'ai plus assez de fatigue pour dormir la nuit.

De gigantesques incendies qui dévorent la taïga sur des millions de kilomètres carrés ajoutent à la demi-clarté l'éclair des brasiers. Le train parfois rentre dans des nuits de fumée blanche qui pique les yeux jusqu'à l'intérieur des compartiments. C'est à la double lueur des flammes et de la clarté nocturne que je lis dans un journal l'histoire d'Aron, jeune montagnard victime d'un accident dans les Rocheuses américaines, le mois dernier : un bloc lui a roulé sur le bras droit alors qu'il escaladait un ravin. Il est resté coincé trois jours au bord du vide, les chairs écrasées sous le roc. Jusqu'au moment où il s'est résolu à se couper le bras à l'aide d'un petit canif. Il raconte avoir eu du mal ; d'abord les chairs puis les tendons et l'os pour finir. Puis, manchot, sanguinolent, il est redescendu vers la vallée. En voilà un bon garçon et une belle histoire ! Parfaitement ce qu'il me faut : de la détermination, du mépris pour le corps et, enfin, de la volonté d'avancer, toujours, quoi qu'il advienne.

Un matin, alors que Sergueï et Nina attaquent un second poulet fumé, une étrange luminescence chasse l'éclat d'acier de l'aube. Je regarde par la fenêtre du train. C'est le Baïkal qui agit comme un réflecteur géant et renvoie au ciel les rayons du soleil tirés au travers des nimbus. La ligne contourne le lac par le sud, vers Tchita. Dans quelques semaines, si tout se passe comme je le veux, j'avancerai à pied au bord de la rive orientale du Baïkal. Je remonte sur mon bat-flanc et je réfléchis.

Pour la première fois depuis des mois, je sens monter la peur en moi et le martèlement des roues du train sur l'acier des rails l'enfonce à chaque coup comme un clou dans le cœur. Trop d'arbres dans cette taïga, trop de blancheur dans les bosquets de bouleaux, trop d'écrasement sous les ciels, et que dire de cette plaine sans bornes, plus terrible qu'une prison car ici, devant l'horizon, il n'y a même pas où fuir...

Je feuillette *À marche forcée* de Slavomir Rawicz [1], le livre que je connais par cœur et auquel je dois de me trouver ici, allongé sur la couchette du haut parmi les effluves de poulet, dans un train russe lancé vers l'est à travers la grande forêt sibérienne. J'ai découvert *À marche forcée* dans une édition de poche des années soixante. J'avais quinze ans et je vécus avec ce récit la première de ces nuits par la suite sacrifiées tout entières à la lecture de Céline, de Lawrence, de London, d'Hamsun et des romanciers russes.

Rawicz est un officier polonais de vingt-quatre ans qui fut arrêté pendant la Seconde Guerre mondiale par le NKVD [2] et déporté, en train, à pied, jusqu'à un camp de prisonniers situé à trois cents kilomètres au-dessous du cercle polaire arctique sibérien, dans la taïga de Iakoutie. Travaux forcés, hiver de glace, vie de sous-homme : le goulag [3]. Rawicz doit purger une peine de vingt ans. Sa faute ? Être polonais. Son seul espoir ? La mort ou

1. Réédition chez Phébus en 2002 dans une traduction de E. Chédaille et avec une préface de Jean-Pierre Sicre.

2. *Narodnyï Kommissariat Vnoutrennykh Del*, littéralement : Commissariat du peuple aux Affaires intérieures, fondé le 10 juillet 1934, à partir de l'ex-Guépéou. *In* Jacques Rossi, *Qu'elle était belle cette utopie !*, 2000, Le Cherche Midi.

3. Goulag : signifie littéralement en russe « Direction générale des camps ». Par métonymie, le mot a fini par désigner les camps de détention, de travail, de déportation.

la fuite. Six mois après son incarcération, en avril 1941, il s'évade dans la taïga, en plein hiver, avec une escouade de six camarades : deux autres Polonais, un Letton, un Lituanien, un Yougoslave et un Américain. Ils ont en commun deux choses : la première est d'avoir fait naufrage sur le récif de la terreur rouge inaugurée par la Grande Révolution d'Octobre et prolongée par les purges de Staline ; la seconde est d'avoir refusé – au risque de la vie même – le destin d'esclave qui leur était promis. Ils n'ont d'autre choix que de mettre cap au sud. Vers les Indes. Ils n'ont pas de vivres, pas de cartes, pas d'équipements ni d'armes. Comme ils se représentent très mal la géographie de la haute Asie, ils pensent atteindre la mer du Bengale en quelques semaines, sans entrevoir que des milliers de kilomètres les en séparent. Hantés par la reconquête de la liberté que les liquidateurs de Moscou leur ont volée, ils avancent en bêtes traquées, sans repos, une année durant, ne se fiant qu'à la direction cardinale australe induite par le soleil. Ils traversent à marche forcée les taïgas de Sibérie, de Baïkalie et de Bouriatie, les steppes de la Mongolie, les déserts de Gobi et du Tsaidam, les plateaux du Tibet, la chaîne himalayenne et les jungles du Sikkim, ils progressent en coupant les grandes bandes bioclimatiques latitudinales qui font de la haute Asie l'un des espaces les plus hostiles et les plus sauvagement splendides de la planète. Ils tracent pas à pas un sublime itinéraire, une œuvre d'art géographique dont le transept balafre l'Eurasie du septentrion aux parallèles méridionaux à la façon d'un coup de sabre. Quatre d'entre eux meurent en route. Les autres, rendus à l'état de demi-cadavres par les souffrances endurées, arrivent au bout de leur cauchemar un an après leur évasion et sont recueillis par l'armée britannique des Indes.

Rawicz publiera son récit en 1956 en Europe de l'Ouest et – ultime épreuve – aura à essuyer la suspicion d'un certain nombre de voyageurs et de géographes pour qui pareille évasion ne peut relever que de la fable. Le drame des hommes à l'existence romanesque est qu'on les tient pour des affabulateurs quand ils racontent leur vie... À la parution du livre, quelques explorateurs – Peter Flemming en tête –, décortiquent les chapitres du livre et y notent des anomalies, des oublis, des erreurs de description de lieux, des approximations ethnographiques, des exagérations (Rawicz prétend avoir survécu dix jours sans boire), des scènes délirantes (la rencontre avec un couple de yétis). L'épopée est jugée trop rocambolesque, l'exploit trop inhumain, le récit trop vague pour être vrais. Flemming assène sa conclusion dans la presse : « À mon plus grand regret, je suis forcé de déduire que l'ensemble de cet excellent livre est purement fictif... L'auteur n'a pas fait le voyage du tout [1]. » Rawicz serait donc un imposteur, faux évadé qui ne se serait échappé que de son imagination. Il ne resterait aux lecteurs abusés qu'à ranger *À marche forcée* dans leur bibliothèque entre Marco Polo, H. G. Wells et Swift, Jules Verne, *Münchhausen* et Homère au rayon des voyages fantastiques ou des tartarinades.

L'énergie des détracteurs de Rawicz a aussi une racine politique. Le livre paraît à une époque où

1. *In* Peter Hopkirk, *Sur le toit du monde*, Picquier.

l'Europe ne veut rien savoir de la tragédie carcérale russe : l'archipel du Goulag n'a pas été découvert, *Une journée d'Ivan Denissovitch* n'est pas encore publiée [1], Soljenitsyne est toujours dans les camps, et dans les démocraties occidentales les communistes sont auréolés de la victoire sur l'Allemagne nazie. Et voici qu'un Polonais, prétendument sorti des taïgas de l'enfer, brosse la fresque de l'effroi concentrationnaire. Comment accepterait-on en 1956 de croire qu'on puisse s'évader de camps dont l'existence même n'est pas officiellement reconnue ?

Slavomir Rawicz répondra timidement aux attaques : « Je voudrais rappeler à tous que nous étions des fugitifs affamés, fuyant une terreur que seuls peuvent comprendre ceux qui ont subi le communisme dans leur chair. Je ne me souviens pas quelles routes ou quelles montagnes nous avons traversées ; nous n'avons jamais su les noms de la plupart d'entre elles et nous n'avions ni cartes, ni connaissance préalable de la question [2]. » Le livre connaîtra malgré tout un succès d'édition puis tombera dans l'oubli – sauf pour une poignée d'inconditionnels qui en attendaient la réédition avec une fébrilité religieuse. Rawicz, lui, s'emmurera dans le silence. À Londres, où il vit toujours.

Six décennies après l'évasion, le Transsibérien m'emporte vers les parages de la Baïkalie car je veux retracer à pied, à cheval, à vélo, au seul rythme de mon effort physique, l'itinéraire de Rawicz et de ses compagnons de fuite. Et peu me

1. Khrouchtchev en autorisera la parution en 1962.
2. *In* Peter Hopkirk, *op.cit.*

chaut que leur épopée soit une fable ou non. Les recherches que j'ai effectuées à Paris, mes lectures, mes réflexions m'ont convaincu de ceci : même si Rawicz a menti, il est un fait que d'autres hommes ont fui l'univers carcéral soviétique vers le sud. Moines orthodoxes, prêtres bouddhistes, dissidents politiques, zeks [1], soldats perdus, Mongols, Juifs, Bouriates, Tibétains, ils ont été nombreux les candidats à la liberté qui se sont échappés de Sibérie sur un itinéraire comparable à celui de Rawicz. Ces « chemins de la liberté » ne se limitent donc pas à la route empruntée par un groupe de fuyards isolés, mais se révèlent un couloir de passage majeur où se pressèrent des centaines, des milliers (comment chiffrer ?) de refuzniks.

Je n'ai pas l'âme d'une fouine ni l'esprit d'un limier, je ne suis pas parti pour mener l'enquête, ni pour reconstituer à l'identique et *in situ* le cheminement d'un bagnard en fuite. Comment pourrais-je d'ailleurs prétendre revivre les conditions d'existence de l'époque, aujourd'hui que la Tcheka et le NKVD ne sont plus qu'un mauvais rêve ? Ce que je veux, c'est arpenter les sentiers d'évasion qui sont des chemins de splendeur pour rendre hommage à tous les arpenteurs de steppes, les bouffeurs d'horizons, les défricheurs d'espace et les porteurs de souffle qui savent que *s'arrêter c'est mourir*. En outre, cet itinéraire me fascine parce qu'il est en rupture avec la direction traditionnelle des mouvements humains dans cette région du

1. Ce mot désigne un prisonnier. Littéralement il veut dire en russe « détenu (sur les chantiers) des canaux », en référence à la construction du canal de la mer Baltique à la mer Blanche de 1931 à 1933 (in J. Rossi, *Le Manuel du Goulag*, 1997, Le Cherche Midi).

monde. Les hordes nomades de la haute Asie se sont en effet déplacées d'est en ouest ou dans le sens inverse, au long des âges, sans quitter les bandes bioclimatiques latitudinales auxquelles elles étaient adaptées : taïga pour les chasseurs de Sibérie, steppes pour les peuples cavaliers, relief de l'Altaï pour les nomades montagnards. Les marchands de la soie, les aventuriers, les grands conquérants d'Alexandre à Gengis puis les petits de Napoléon à Hitler ont suivi le sens de cette oscillation. Au cœur de l'Eurasie, le balancier de l'Histoire a toujours battu du levant vers le couchant ou du couchant vers le levant. Avec une exception : quand une horde affamée voulait razzier une oasis, alors le raid s'effectuait du nord au sud (car les nomades prédateurs peuplaient les latitudes septentrionales alors que les oasis étaient disséminées dans les latitudes plus méridionales) et les loups fondaient sur les jardiniers sédentaires et dessinaient à la surface de l'Eurasie des itinéraires non conformes aux tracés habituels. Il n'y a que le loup, créature en marge du monde, pour ne pas marcher dans la direction ordinaire. Les évadés, qui sont un genre de bête traquée, ont eux aussi emprunté cet axe conduisant du septentrion de l'Eurasie jusqu'aux versants de l'Himalaya, « l'axe du loup »...

Ce que je veux célébrer, c'est « l'esprit d'évasion » qui consiste à cotiser toutes ses forces, ses espoirs et ses compétences, à tout mettre en œuvre sans jamais laisser le découragement s'immiscer dans l'obstination, pour regagner la liberté perdue. S'évader c'est passer d'un état de sous-vie (la détention) à un état de survie (la cavale) par amour de la Vie. Et moi, couché aujourd'hui sur une couverture de la compagnie des chemins de fer russe, je veux mesurer pas à pas, en lenteur et en solitude, ce qu'il en coûtait aux naufragés du siècle rouge, aux bannis des années d'acier de naviguer sur les grandes terres centre-asiatiques pour gagner les côtes de la liberté.

Je n'utiliserai pour progresser aucun moyen mécanique. Non pour le plaisir de ne devoir les kilomètres qu'à ma propre énergie mais parce que avancer lentement, à pied ou à cheval, est une bonne façon de saisir l'état d'esprit d'un évadé qui se tient seul, démuni de tout, armé de ses seuls muscles, à l'orée de six mille kilomètres d'immensité. En outre, peiner sur une piste est une manière de rendre hommage à ceux qui y ont souffert avant soi. Les Anglais ont une belle formule pour parler de l'alpinisme. Ils disent que grimper sur une muraille sans utiliser ni pitons ni cordes, c'est pratiquer l'escalade *by fair means*. Or j'ai toujours voulu voyager comme grimpent les Anglais, avec de justes moyens, ce qui revient à dire : honnêtement. À cheval, à pied, à bicyclette. Je trouve déloyal de se présenter devant la géographie armé d'un moteur, et je sais que le pas humain, la foulée du cheval sont les meilleurs instruments pour mesurer l'immensité du monde. Voilà dix ans que je trouve la paix en battant les chemins et que rien ne me met plus en joie qu'un horizon fuyant lentement mes tentatives de le rejoindre. Parfois, comme les Mongols qui sont les fils du vent, je pense que *la terre est dure et le ciel lointain*, mais j'apprécie tellement que celle-là me serve de paillasse et celui-ci d'auvent que je suis prêt à leur sacrifier les misérables plaintes de mes articulations. Je n'aime pas trop les Capoue. Je trouve que Mourmansk et Oulan-Oudé offrent de meilleures délices. Je n'aime pas non plus les routes trop bien tracées. Si j'en vois une sabrer une steppe, j'ai envie de prêter main-forte à la steppe. La seule chose que je puis offrir au paysage, c'est mon temps, et j'aime donc à donner des jours entiers à la pente des glaciers, des semaines à des déserts venteux, de longs mois à la piste.

Mon plan en ce mois de mai (en Russie il faut avoir un plan) est aussi simple qu'était pure l'ambition des fugitifs : gagner la ville de Iakoutsk, trouver la ruine d'un goulag dans la région que décrit Rawicz et, de là, avancer par la nature en maintenant le cap au sud, sans repos, jusqu'à ce que, après six mois ou un an, les jungles du Bengale m'annoncent la fin de l'équipée comme elles sonnaient pour les zeks le début d'une vie nouvelle.

Le Transsibérien a atteint la gare terminus de Nieroungri. J'en descends et, au bout du quai, rencontre Youri, un ancien milicien qui accepte de me transporter dans sa Lada vers mon point de départ, au bord de la Lena, à vingt-quatre heures de route. Nous roulons à fond, plein nord, sur la piste blanche qui entaille la taïga vide. Forêt lugubre. À la fin de l'après-midi, nous dépassons un panneau planté sur le bas-côté et qui proclame : « Danger ! Radiations, altitude : 1 300 mètres ».

– C'est l'ancien goulag d'Aldan, c'est interdit de s'arrêter, dit Youri en coupant le moteur.

Nous sommes sur une éminence d'où nous dominons une large dépression gonflée de boue. Ce pourrait être un trou rempli de larmes. Au fond, survit une pauvre taïga, mitée par les flaques marécageuses couleur argent triste. Les sapins dénudés font comme les baïonnettes d'une armée qu'aurait engloutie une nappe de mercure. Quelques chenaux alimentés par la fonte des neiges serpentent sur des versants pelés avant de mourir dans la cuvette. Une croix orthodoxe de deux mètres de haut préside, plantée là peut-être pour le souvenir des années de peine. Si ce paysage contenait une gorge, elle serait serrée. Je gagne le bas du talus qui porte la route et m'approche des ruines des bâtiments pénitentiaires. Il faut suivre les langues de neige sous peine de s'enfoncer aux genoux dans la glu de la *raspoutitsa*. Du camp qui fonctionna jusqu'à la mort de Staline en 1953, il ne reste plus rien que les fondations, les murs, quelques montants de fenêtres scellées. Il rôde un sanglot par-delà l'horizon. Youri à grands signes me crie de revenir.

– *Sylvâne !* Fais donc pas l'idiot ! tu vas être irradié !

Nous repartons à tombeau ouvert. Et moi je hais la vitesse.

– Youri ! c'est dangereux d'aller si vite, dis-je alors qu'il vient de redresser la voiture après un dérapage sur toute la largeur de la piste.

– T'inquiète pas, répond-il, je suis un ancien flic.

J'observe la nuit venir, ce qui signifie, en ces parages périboréaux, que je regarde le soleil descendre jusqu'à la cime des sapins, rouler sur leur faîte, disparaître un peu, puis amorcer sa lente remontée. Je fixe l'étrange clarté en songeant aux peuples de la lumière nordique dont le soleil, renaissant chaque été, aimante les yeux délavés, couleur de glace morte. Dans la demi-clarté qui n'appartient ni au jour ni à la nuit, le corps refuse le sommeil ; l'esprit, lui, bien qu'en éveil, plonge dans une humeur d'insomnie nocturne peuplée d'angoisses, de serrements de cœur et de sombres questionnements : une houle d'idées noires montée du fond de l'âme.

D'ailleurs, à présent que je m'achemine vers le commencement, le doute ne me quitte plus. Comment vais-je venir à bout de six mille kilomètres de terrains désolés ? Où puiser la force d'avancer ? Comment prétendre vaincre au seul étalon du pas cette taïga, les steppes et les aridités qui la prolongent, privées d'hommes, vides de tout bruit et que la couleur même a désertées ? Le fugitif est pareil à la proie : pourchassé par les sicaires de l'autorité à laquelle il tente de se soustraire, il est stimulé par l'aiguillon de la traque. La peur d'être repris l'excite. Il danse sur la corde raide. L'inquiétude le fouette, maintient intacte en lui, chaque matin, l'urgence de reprendre la marche. Mais moi, contrairement à l'évadé, j'ai tout à perdre dans pareille aventure. Qu'est ce qui va me faire courir ? Il est difficile de se mettre sans motif *sur les bords de l'abîme.* Choisir coûte davantage d'énergie que subir.

– La Lena ! crie Youri.

Il descend sur la berge et range la voiture le long de la rive gelée. On attend le bac. Le fleuve charrie des blocs de glace qui passent en froufroutant comme des meringues. Le printemps est tardif cette année et la Lena est encore tout encombrée de glaçons que le bac, en accostant, chasse devant son étrave.

À Iakoutsk se dressent quelques cheminées, les grues articulées du port et une statue de Lénine. Il indique le sud du bras : l'axe de la liberté, la route à prendre ! Ici, on est à cinq cents kilomètres du cercle polaire mais, comme c'est l'été, les filles, pressées de profiter des deux mois de tiédeur, ont troqué sans transition les manteaux de fourrure contre les minijupes. La gentille Vera, au minois de phoque arctique, me pilote dans la ville pendant les quelques jours où j'y reste. Alexis Romanov, directeur des studios de cinéma iakoutes, travaille à un projet de film sur le goulag. Il m'invite à dîner avec un cinéaste russe, Guenali, nostalgique des années brejnéviennes. Romanov a des yeux tristes. À force sans doute de les garder tournés vers l'ancien temps.

– La Iakoutie, dit-il, c'était le cœur du système concentrationnaire, une prison sans barreaux. Le gel, le froid, les marais, les montagnes, ça vous garde mieux un zek que n'importe quel réseau de barbelés. Il y a deux cents ans, les tsars ont commencé à envoyer ici des déportés. Dans l'esprit de nos chefs, cette terre était destinée à être la poubelle humaine de l'Empire, un dépotoir de renégats.

– C'est étrange d'avoir choisi des étendues ouvertes aux vents, des horizons sans fond et des ciels sans fin pour y enfermer les gens. Il y avait beaucoup d'évasions ?

– D'ici ? Presque impossible, sans aide. Il y a des milliers de kilomètres de forêts, il y a des loups, des ours...

– ... et des hooligans... dit Macha, une anthropologue de l'université qui nous a rejoints.

Les deux vieillards que je rencontre le lendemain dans le bureau des archives du NKVD ont grande allure. Chevelures blanches, vestons soviétiques à médailles et surtout cette manière de se tenir droit. Ils tentent de surnager dans l'océan de documents et de papiers qui les a submergés, à la chute de l'Union soviétique, lorsque toutes les institutions ont levé le secret d'État et ouvert la bonde de leurs archives. Les deux vieux messieurs accomplissent patiemment depuis 1991 le recensement des déportés et des réhabilités de Iakoutie, fouillant sans répit dans les caisses de fiches estampillées « *secret* ». En outre, ils publient chaque année une sorte d'annuaire raisonné du Goulag. On y lit le nom des condamnés politiques dont on a retrouvé trace avec, pour chaque zek, la date de sa naissance, la date de son arrestation, la durée de sa peine, la date de sa réhabilitation. Les photos publiées montrent des visages sombres – gueules cassées de taulards demi-fous aux regards perdus : reflet des « âmes mortes » gogoliennes. Je cherche le nom de Rawicz. Je trouve un Polonais à la lettre R : Stefan Rafalski. Rien d'autre. Les archivistes n'ont jamais entendu parler d'une évasion jusqu'en Inde.

– Vous devriez rencontrer Inina, une Lettonne déportée qui habite le centre de Iakoutsk. C'est une vieille femme, mais elle a bonne mémoire. Elle a tiré vingt ans de camp. Elle connaît un évadé.

Une maison de planches. Trois étages avec des paliers sombres qui donnent sur des appartements individuels (le rêve soviétique). Il doit y faire mauvais l'hiver quand le thermomètre descend à – 40 °C dehors. Inina est assise dans un fauteuil, un plaid déplié sur les genoux. Une enfant de douze ans – sa petite-fille –, racée comme une fée, sert du thé. Avant même que j'ouvre la bouche, la vieille dame se lance :

– Je n'ai jamais su pourquoi on m'a envoyée couper du bois vingt ans sur les bords de l'Amour.

Elle ne me regarde pas en parlant. Ses yeux sont pourtant beaux : bleu sombre, mais avec une fixité un peu tragique comme s'ils ne parvenaient pas à sortir de la nuit.

– Ils sont venus nous prendre, moi, ma sœur et ma mère. Mon père était déjà interné. Ils nous ont dit qu'on avait deux hectares et demi de terres et qu'on était des riches. Ils ont fermé la porte derrière nous et tout a été pillé. Au goulag on m'a fait porter des sacs de cinquante kilos de pommes de terre. Je me demande encore comment mon dos a pu supporter ça... ensuite j'ai été envoyée au bucheronnage. Je devais abattre des arbres avec une ration de deux cents grammes de pain par jour. Les gens mouraient autour de moi. On les mettait dans un trou. Et moi, au cours de ces années, je pleurais chaque jour.

– Et l'évasion, Inina ?

– J'y ai pensé. Mais ma mère était malade. Comment l'aurais-je abandonnée ? Un de mes amis, un Juif ashkénaze, s'est évadé et a pu rejoindre les États-Unis. Il m'écrivait de New York mais, depuis quelques années, je ne reçois plus rien. Il est peut-être mort...

– Et maintenant ?

– Maintenant, j'oublie, je boite et j'attends.

Encore une rencontre : Bock, un Allemand, déporté quand il avait cinq ans sur les bords englacés de la mer de Laptev en mars 1942. Pour me parler, il a mis sa cravate et sa chemise blanche : on se fait digne quand on fait revenir à l'écume de la mémoire le souvenir des âges maudits. Il décrit la déportation en train à bestiaux, le grand-père mort de faim dans le wagon et enterré sous un ballast, l'arrivée sur le rivage arctique, la cahute de bois flotté et de tourbe gelée construite avec l'aide des Tchouktches et dans laquelle il passera douze hivers, les blocs de glace découpés à la scie en guise de fenêtres (« oh, ces vitres merveilleusement transparentes ! »).

– Un jour, les déportés organisèrent une fête car certains d'entre eux avaient sauvé leur instrument de musique. C'était l'hiver, j'étais petit. Dehors, – 50 °C avec un vent furieux. Dedans, les hommes jouaient du violon, de l'accordéon. Les femmes dansaient. Quelqu'un est sorti pour pisser, dans la tempête. Il n'est jamais rentré. Il a dû se perdre malgré les cordes tendues entre les abris. Les musiciens ont joué fort et longtemps, pour le guider dans la nuit. Le NKVD ne l'a même pas fait rechercher. On l'a retrouvé au printemps sous la glace à trente mètres de chez nous. On l'a appelé « le mort de la fête »...

Le lendemain, je visite les ruines d'un goulag de bûcherons, en pleine taïga, à cent kilomètres à l'ouest de Iakoutsk. Ce sont les archivistes du bureau des réhabilitations qui m'y emmènent. Nous roulons longtemps dans les ornières d'une piste jusqu'à atteindre une trouée dans la forêt.

– C'est là !

Il pourrait s'agir du camp 303 où Rawicz a imprimé dans la neige le premier pas de sa longue marche mais qu'il ne localise pas dans son récit. L'endroit ressemble à toutes ces terres épuisées d'avoir porté comme un fardeau des cohortes d'hommes en peine. Il arrive parfois à la géographie d'exsuder la tristesse comme la peau transpire sous le soleil. Il y a quatre rangées de barbelés qui encadrent un vaste terrain déboisé. Rien n'a poussé à la surface de l'ancien camp. Les arbres ne reviennent pas où les larmes ont coulé. On voit encore le guide-fil de métal auquel étaient accrochés des chiens policiers dont même leurs maîtres ne pouvaient s'approcher. Restent également une haie de chevaux de frise, une dizaine de tas de briques et la trace du chemin de ronde extérieur. On aperçoit ici et là un lit de camp rouillé, une gamelle, un morceau de scie, le grillage d'une fenêtre arraché de son montant : « Souvenirs de la maison des morts [1] ». Le reste a brûlé.

La veille de mon départ, Vera m'accompagne à l'hôpital pour me faire vacciner contre l'encéphalite à tiques, maladie de la taïga : la bête vous mord, l'infection vous gagne, le mal monte à la tête et c'est la mort. Une doctoresse de Krasnoïarsk qui sent le caoutchouc neuf me fait une piqûre dans le dos. Elle m'annonce ensuite que c'est un vaccin nouveau qu'elle n'a jamais encore administré, dont elle ne connaît pas les contre-indications et dont elle n'est pas certaine qu'il soit compatible avec les injections que j'ai déjà reçues à Paris. Mais elle téléphone le soir, chez Vera (délicate prévenance des médecins russes qui ne sont pas trop sûrs de ce qu'ils vous prescrivent mais prennent la peine de

1. Titre du récit que Dostoïevski a consacré à ses années de détention.

s'inquiéter de l'évolution du traitement après coup).

À l'aube j'embrasse Vera. Nous sommes au début du mois de juin : il est temps que je parte. Au moment des adieux, Galina, une amie de Vera, m'offre une clochette.

– Pour annoncer ta présence aux ours..., explique-t-elle.

– Et pour que tinte celui qui te dévorera, dit Vera.

J'ai choisi comme point de départ un village de pêcheurs situé sur la rive gauche de la Lena, à une journée de navigation en amont de Iąkoutsk, en direction du bourg d'Olekminsk. Pour l'atteindre, j'embarque sur un bateau à aubes des années cinquante à bord duquel quelques Russes en vacances tuent le temps et la désagréable impression de flotter sur de l'eau douce en buvant de la bonne Cristal à 45°. Le capitaine, qui ressemble à un jeune trouvère de Bayreuth reconverti dans l'amirauté mexicaine (cheveux blonds, regard doux, uniforme à galons brodés et boutons d'or), injecte régulièrement à pleins tubes dans les haut-parleurs du bateau les mesures de la *Pathétique* de Tchaïkovski ou d'une marche militaire. La roue à aubes bat la mesure. À bord on boit. Je dors encore.

J'ai donné au capitaine la position de l'endroit où je veux débarquer : Marka, soixantième parallèle de latitude nord, rive gauche. Le matin du deuxième jour, il fait arrêter les machines un peu au-delà du village. Le bateau jette l'ancre à quelques encablures de la grève sauvage peuplée de hauts sapins et sur laquelle des blocs de glace vivent leurs derniers jours. C'est là que je descends.

– Le Français! À terre! dit le capitaine en manière d'adieu.

Deux matelots mettent un canot à l'eau. Les passagers accoudés au bastingage assistent au spectacle. Le capitaine qui surveillait la manœuvre depuis le pont inférieur regagne le poste de commandement pour brancher le magnéto. Stravinski à toutes forces. Je grimpe dans la barque. Je salue les passagers qui agitent le bras en retour. Le canot s'écarte du navire. On glisse sur la Lena, escortés par la musique. La grosse coque s'éloigne et, à mesure que se rapproche la rive, il me semble avoir quitté le refuge d'un ventre accueillant pour me jeter dans la gueule du monde. Les rameurs souquent fort. Je saute sur le limon. Ivan, l'un des matelots, tire la barque à terre et dit :

– Assieds-toi sur le plat-bord. En Russie, on reste toujours un moment comme ça avant de se quitter : assis calmement pendant quelques secondes.

On entend les échos de la symphonie glisser à la surface de l'eau. Elle a à mes oreilles les tons d'une marche funèbre. Devant moi : l'orée de la taïga séparée du rivage par une plage de sable. Pas une trace de vie humaine. Ici, le chemin commence.

Je me lève et je pars vers l'amont. Les rameurs regagnent le bateau. Voilà une demi-année que j'attends cette seconde et toute la fièvre et toute l'impatience de ces derniers mois se dissolvent soudain, sitôt fait le premier pas, dans le précipité de l'instant. Quinze minutes plus tard le navire me dépasse, tirant dans son sillage les bribes de Stravinski.

Je suis seul, je suis lancé sur ma route de la liberté. Je ne m'arrêterai pas avant d'avoir atteint l'Inde.

2

Dans le lit de Lena

juin

Je passe onze journées dans le lit de Lena. Mon objectif est le village de Macha, à trois cents kilomètres en amont du fleuve. De là je rejoindrai une piste qui m'amènera au pied d'un massif montagneux dressé devant la vallée de la Vitim. Je la traverserai et plus loin ce sera la Bouriatie du Nord et le lac Baïkal mais je n'ose pas encore penser à un objectif aussi éloigné.

Pour l'heure, j'avance au bord de Lena, uniquement soucieux d'atteindre au soir venu l'objectif du matin. Je marche sur le limon durci que lèche parfois le ressac soulevé par un bateau. J'ai fixé à mon sac la clochette de l'amie de Vera et elle sonne si fort à chaque pas que deux cervidés s'enfuient devant moi. Mais fera-t-elle assez de bruit pour éloigner les ours ?

Des glaçons gros comme des rochers, posés sur la grève, sont les derniers vestiges de l'hiver. À cause de la fonte, ils se désagrègent en cristaux verticaux, empilés tels des bâtonnets qu'on aurait épluchés de la masse. Je frappe du bout du bâton dans ces fragiles constructions qui s'écroulent avec un bruit de verre, comme les tours de glace d'une cité de cristal.

Les affluents de Lena, coulant du nord, entravent ma course. Pour les traverser à gué je dois en longer le cours vers l'amont, dans les taillis. J'enfonce jusqu'aux genoux dans les mousses (« prendre les mousses » voulait dire « s'évader » dans le jargon des zeks), je peine à forcer le barrage des broussailles, mon sac s'accroche aux baliveaux et je redoute, à chaque fois que j'atteins une clairière, d'y croiser un ours. Je traverse des dizaines de rivières, arc-bouté à mon bâton de sapin avec de l'eau froide jusqu'au torse. Le vent qui glisse en permanence sur la Lena, soufflé de l'ouest, me glace en même temps qu'il sèche mes habits trempés. Je comprends au cours de ces heures passées à ouvrir ma voie, à forcer mon chemin dans la forêt ou au long de la rive, pourquoi les bagnards parlaient parfois de l'évasion comme du *passage devant le procureur vert* : le procureur vert c'est la Nature, et ses fourches caudines furent plus redoutables pour bien des fugitifs que les condamnations des procureurs rouges !

L'eau de fonte a gonflé le tapis des sous-bois. Je vais des heures entières par les marécages, arrachant chaque pas aux baisers des vasières. Comment prendre à ce terrain pourri plus de un ou deux kilomètres à l'heure ? Le bruit de la succion m'exaspère. À chaque pas, ce claquement gluant du pied qui quitte sa loge de boue. Le soleil a pris dans le ciel ses quartiers d'été et n'en descend donc jamais. Les rayons filtrés par les haillons des feuilles tirent dans la forêt des traits de lumière druidique. La tête baigne ainsi dans une clarté céleste, les pieds, eux, dans un brouet. Parfois, cependant, les flaques marécageuses font des miroirs lisses, vasques d'eau cristallines que je fracasse rageusement pour me venger de n'être pas un cygne.

Dans le village de Tumul, pauvre hameau sibérien oublié sur les bords de Lena, pris en étau entre fleuve et forêt, Ivan qui n'a pour vivre que le blé qu'il cultive et la beauté des lieux me loge dans sa maison de rondins de 1870. Il m'apprend qu'à trois kilomètres en retrait du cimetière où l'attendent ses parents et ses frères, court une ligne télégraphique installée à l'époque de Brejnev sur le tracé précis qu'empruntaient les coursiers du Tsar.

– Elle relie Iakoutsk à Moscou ! Je la regarde souvent en me disant que je ne suis pas seul puisqu'il y a tous ces gens qui discutent là, dans mon dos. Suis-la, me conseille-t-il, elle mène à Olekminsk, à travers la taïga. C'est plus facile que de patauger sur la berge.

Écoutant ses conseils, je longe l'enfilade de poteaux pendant plusieurs jours, regrettant de ne pas être une de ces ondes qui glissent à la vitesse du son sur le fil de cuivre. La ligne, logée dans un couloir défriché de dix mètres de large, entaille la forêt. La saignée fuit, rectiligne, parallèle au fleuve. Les poteaux sont espacés de cinquante mètres les uns des autres. Mais quand les marais recouvrent le passage, il me faut parfois plusieurs minutes pour en joindre deux : j'avance plus lentement qu'une conversation téléphonique.

Un soir de la mi-juin, un affluent plus large que les autres me coupe la route. Dans le feu du crépuscule qui ne veut pas s'éteindre avant que l'aube ne sonne, je perds deux heures à chercher un passage à gué dans une rivière profonde. Je sonde en vain avec mon bâton les eaux courantes et froides. Puis, convaincu que je ne passerai pas à pied, j'inaugure une façon de franchissement qui me servira souvent par la suite : je débite à l'aide de mon poignard des rondins de bouleau que je ligature entre eux avec mon chèche. Je fixe sac à dos et vêtements sur ce radeau de bois et, nu comme un ver, traverse le cours d'eau à la nage en le poussant devant moi. Un orage diluvien m'accueille de l'autre côté et réduit à néant mes efforts pour conserver mes habits au sec.

Il est nécessaire d'avoir vécu les déchaînements du ciel sur la rive d'un fleuve puissant dans la solitude sibérienne pour ressentir un peu de ce préhistorique effroi de l'âme devant la nature. L'homme n'a pas sa partition à jouer dans ces symphonies d'éléments. La pluie tombe si dru qu'un rideau de stries grises masque le paysage. Des moutons blanchissent la surface de Lena, si douce tantôt pourtant sous les assauts naissants de l'été. J'entends l'écho de la foudre traverser mon corps comme une onde de choc sourde. Je marche sous le couvert des arbres qui bordent la mince bande du rivage car les frondaisons me protègent de l'averse et tant pis si l'éclair m'atteint. La berge sableuse lavée par les eaux, gonflée par la pluie, devient impraticable et je préfère bientôt le tapis spongieux des mousses forestières aux fondrières de la grève. Au bord d'un ruisseau, dans le jour perpétuel sali par l'ondée, je cherche un espace moins inondé que le reste pour installer ce qui me sert de tente : un tunnel de toile au fond duquel je me tortille comme une larve qui serait traumatisée d'avoir vu à quoi ressemblait le monde et qui voudrait retourner dans sa chrysalide. La taïga dégoutte. J'ai fait halte sur une éponge. Terrain boueux, vivres épuisés, effets trempés : bivouac de la débâcle. Une consolation pourtant : les heures que je passe dans ce cercueil de toile, condamné à l'immobilité, m'entraînent pour le jour où l'on me disposera dans mon dernier linceul, pour le garde-à-vous éternel devant la Camarde.

La chienne qui m'accompagne le jour suivant ressemble à un loup. Quel est le sentiment qui l'attache à moi ? Peut-être s'étonne-t-elle de recevoir des caresses au lieu de coups ? Sous le couvert, elle poursuit les écureuils. Au bord du fleuve, elle plonge pour se rafraîchir : sa présence me rassure car ses aboiements feraient fuir un ours en chasse dans les taillis. C'est du moins ce que m'ont affirmé mes amis de Iakoutsk : « Contre un ours rien ne vaut un fusil et, à défaut, un chien. » Je commence à croire qu'elle va sceller sa course à la mienne et me suivre jusqu'en Inde et j'en ressens quelque joie quand, soudain, une clairière s'ouvre, immense. Et la chienne s'y engouffre me laissant seul avec le paysage. Vision de grandeur : au sud, la Lena, fleuve océanique ; au nord, la forêt sans limites et, posé sur le tout comme un couvercle, le ciel, uniformément bleu jusqu'au rivage arctique. La Sibérie est une géographie contre laquelle l'Histoire n'a jamais rien pu faire. Je me souviens des pleurs de Micha, un Russe rencontré en aval dans une cabane de pêcheur. Quand je lui avais dit vouloir atteindre le Baïkal à pied, il s'était tenu la tête dans les mains et avait sangloté :

– Que faire ! Que faire ! Ce pays est si grand !

Urgence pour l'instant : retrouver la chienne. Dans la trouée où elle a disparu, il y a quelques isbas de bouleaux qui me paraissent en ruine. Ici, on a toujours du mal à distinguer ce qui est abandonné de ce qui ne l'est pas : la Russie est l'Empire du bringuebalant. Une chasse de chevaux sauvages patrouille dans les herbes hautes. Il règne dans ces parages un silence de tableau. Un filet de fumée sort droit comme un piquet des bardeaux d'un vieux toit. C'est donc qu'il y a des hommes dans ce hameau fantôme. En fait, il y en a un, Stepan Soltnikov : cinquante ans, pas de dents, aussi maigre qu'un loup, petit-fils de soltnik ukrainien (c'est-à-dire d'officier cosaque anti bolchevik) déporté en Sibérie. Il me sert ce qu'il possède : du thé et du brochet salé. Il vit toute l'année dans l'isba du produit de sa chasse et de sa pêche. Il est resté ici à la chute de l'Union soviétique. Les autres ont quitté le village pour la ville. Lui, mène une belle vie. Et comment se plaindrait-il puisqu'il possède un fusil à deux coups, une boîte de cent hameçons, un étalon et une chienne, nommée Lena. Celle que je pensais être devenue mienne.

– Tu as fini ? demande-t-il.

– Oui. C'était bon, merci.

– Alors viens, dit-il.

– Où ?

– Voir Victor, un *staroviere*.

On monte à deux sur l'étalon. Moi sur la selle, Soltnikov sur la croupe. Il porte le fusil et moi, deux cannes à pêche. On chemine longtemps dans la taïga et la nuit blanche. Nous longeons vers l'amont le cours d'une rivière. Nous regardons les traces qu'un ours a laissées en fouaillant la terre. Nous passons un ruisseau aux pierres jaunies par l'oxydation. Et puis enfin, nous parvenons à la cabane. À l'intérieur, les stères sont gras de suie.

L'homme qui est assis dans le fond ne lève même pas les yeux quand nous entrons. Il lit la Bible. Son visage est strié de rides : des *sillons dans la viande.* Il s'appelle Victor, c'est un *staroviere*, un « vieux-croyant », nom donné aux fidèles d'une hérésie du XVIIe siècle, restée attachée à une orthodoxie radicale et qui eut à subir les persécutions des Tsars autant que des Soviets. Que dit Victor ? Rien. Sinon qu'il vit seul ici, avec une hache pour n'avoir pas froid, un fusil pour n'avoir pas faim et sa bible pour n'avoir pas peur. On sort. Le soleil un peu ras traverse les houppiers, se prend dans les rides de Victor-le-Vieux-Croyant qui s'affaire à présent à préparer le thé.

Nous descendons tous les trois sur la berge d'un affluent pour jeter nos lignes à cuillères. En cheminant, je dis à Victor que je connais l'histoire d'une centaine de vieux-croyants qui ont tenté de s'évader de l'Union soviétique à la fin des années 1940. Hommes, femmes, enfants formant une horde de vagabonds mystiques étaient partis de l'Altaï et avaient cheminé vers l'Inde à travers le Gobi – approximativement le long de la route de Slavomir Rawicz – mais seuls une vingtaine d'entre eux étaient parvenus à Calcutta, en 1952. Les autres avaient péri en route. C'est l'écrivain Michel Peissel qui rapporte cette histoire vraie dans *Tiger for Breakfast*[1].

– Oui, j'ai entendu dire que des *staroviere* se sont évadés, dès 1934. Moi pas.

Victor ne dira rien d'autre. Mais je sais que les tatouages qu'il porte à l'avant-bras sont des fleurs

1. Publié en Grande-Bretagne en 1966 et réédité chez Time Books International, New Delhi, 1990.

de goulag : héritage du passé qui s'efface moins vite que les souvenirs. Victor a eu recours aux forêts. Il sait que la vie sauvage et libre est la manière la plus profonde de célébrer l'esprit rebelle. Nous passons la nuit à pêcher le brochet dans une lumière d'hôpital puis nous revenons à la cahute avant de reprendre, l'un la lecture de la Bible, les autres, le fil de la piste.

Je coupe à travers la taïga pour rejoindre les bords d'Hélène. J'ai hâte de retrouver les flancs de mon fleuve-déesse. Quelques névés achèvent de fondre protégés du soleil par des ramées touffues. Après m'être enfoncé dans la mousse de la taïga et l'eau des marais, je patauge dans la neige sale.

Parfois, au soir solitaire, assis sur un tronc de bouleau, je consigne à la double lueur du feu et de la nuit claire la liste d'événements insignifiants qui sont pourtant le plus précieux trésor du vagabond :

Mercredi 18 juin,
Entendu l'appel des oies sauvages
Vu un écureuil et un cerf
Passé un ruisseau aux couleurs d'or
Marché dans la bruyère
Observé les jeunes pousses des sapins de saison
Traversé deux bras morts à la nage
Cueilli un bouquet de fleurs acidulées pour Lena
Abattu trois kilomètres de marais
Croisé personne

Un jour, le village de Urtskoye. Les bords de Lena sont semés de quelques-uns de ces hameaux de pêcheurs-bûcherons. Il faut un à trois jours de marche dans la nature pour les relier. Leurs habitants sont les descendants par l'esprit et parfois par le sang des pionniers du Tsar qui remontaient les fleuves, défrichaient la taïga et fixaient au sommet du premier sapin débité le drapeau frappé de l'aigle bicéphale. Le maire d'Urtskoye me reçoit torse nu, hache à la main, coiffé d'une casquette de tankiste de l'Armée rouge. Il m'octroie une maison de bouleau pour la nuit et ordonne la réouverture du minuscule magasin pour que je puisse m'approvisionner d'une saucisse, d'un pain et de deux litres de bière, repas idéal qui me fait penser à la description des déjeuners de vagabonds dont regorgent les livres de Hamsun, Hesse, London et même Maupassant où le héros tire toujours de sa besace, à la croisée d'un chemin, un pâté, une miche et une bouteille de vin clairet. Dans la lumière nordique, je taille des tranches de pain, assis sur le perron de bois, préoccupé par des questions essentielles telles que « comment fixer au mieux un hameçon sur ma ligne ? ». Personne ne me rend visite. Les gens vaquent à leurs travaux. Ce village me plaît comme il est : ni ivrogne ni enivré par le néomercantilisme. Mais la nuit sera courte. À peine endormi, je suis réveillé par un colosse aux cheveux blonds. Il est entré dans l'isba sans faire de bruit. Il se tient, penché au-dessus de ma tête. Les premières choses que je vois de lui sont ses deux yeux bleus tristes et un peu humides à force sans doute de trop scruter le fleuve. Je me redresse. Les vapeurs de son haleine alcoolique traversent le brouillard de mon sommeil. Il me tend un bouquet de fleurs et me dit, la voix pâteuse :

– Tiens, cadeau de l'équipage ! Du lilas blanc, spécialement cueilli pour le Français. Je suis

Andreï, capitaine du *Grad*. Mon bateau est amarré à la sortie du village. Rendez-vous demain. Petit déjeuner, sept heures.

En sortant du village le lendemain pour honorer l'invitation du capitaine, je croise trois vieillards assis sur un banc. Est-ce à cause de mon allure décidée ? Ou parce qu'ils ont appris que j'étais français ? À mon passage, ils lancent : « No pasaran » ! À quoi je réponds pour leur faire plaisir : « Normandie-Niemen ! » (Il y a quelques années à Avignon, chargé d'un sac à dos et coiffé d'un chapeau à plume, je croisai deux clochards russes que je saluai et qui me crièrent : « Vivent les komsomols ! » Je déclenche toujours d'étranges réflexes chez les Slaves.)

Le bateau est un navire-grutier employé au débardage du bois. En été, le capitaine offre ses services aux bûcherons des villages fluviaux. Un coup de corne de brume m'accueille. Le *verre de thé* auquel il me convie dans la cambuse se décompose comme suit : petit verre de vodka – tranche de salami – petit verre de vodka – tranche de saindoux (pur) – petit verre de vodka – tranche de salami – petit verre de vodka – tranche de tomate – petit verre de vodka – radis – petit verre de vodka – tranche de concombre. Il est sept heures du matin. Les légumes sont cultivés dans le bateau sous une serre de plastique installée entre deux écoutilles, à la proue du navire. Les zakouski – ces aliments qu'on avale par petites prises entre deux verres pour faire passer le feu de la vodka – viennent à nous manquer. Andreï ouvre alors une bouteille de bière blonde qui en fera office et le petit déjeuner se poursuit : petit verre de vodka – grand verre de bière – petit verre de vodka...

– Sais-tu pourquoi les Russes ne pourront jamais boire un océan de vodka ? me demande très doucement Andreï, car il parle de plus en plus bas à mesure que l'ivresse le gagne.

– Non, dis-je en tanguant légèrement (serait-ce un remous sur la Lena ?).

– Parce qu'il n'y aurait pas assez de zakouski !

– C'est drôle.

– C'est moins drôle que ton idée d'aller en Inde à pied ! Les cosaques qui ont fondé Iakoutsk ont mis deux ans à atteindre Tchita, au sud de la Sibérie. Et toi en quelques mois tu prétends à l'Inde ! Buvons ! À l'orgueil !

Nous descendons d'un trait un nouveau petit verre – le septième peut-être.

– Au moins tu n'as pas peur, me dit-il.

– Si capitaine, je crains les ours, dis-je.

– Si tu as un *tête-à-tête* (il prononce « tiêt-à-tiêt ») avec l'ours, tu ne dois pas t'enfuir ni le regarder. Tu lui parles gentiment en français ou en russe, ce serait mieux en russe et tu recules doucement. Il s'en ira.

– Vous êtes sûr que c'est la bonne méthode ?

– Non ; la bonne méthode, c'est d'avoir un fusil ; ça c'est la méthode pour les fous qui n'en n'ont pas. Ce qu'il faut que tu saches c'est que le tête-à-tête avec l'ours, fusil ou pas, devrait normalement te donner la colique, c'est une réaction de peur normale.

Dans le poste de commandement, j'étudie les cartes fluviales qui m'indiquent trois futurs gués aux eaux profondes. Pris d'un impérieux désir de marcher pour distiller le poison avalé ce matin, je prends congé du capitaine. La marche, ce jour-là, sera lente et âpre. Mais le chemin nettoie et, purifié, au bout de sept heures d'effort, je parviens à la halte du soir : un hameau en ruine dans une belle clairière avancée sur le fleuve. Je m'installe dans l'isba la moins délabrée. Dehors, une lumière d'orage abolit les lignes du paysage. Puis, comme au théâtre, le rideau pourpre se lève et l'orage écrase tout sur son passage : les nuages, les herbes libres et le reste du jour.

Les journées passent et les villages avec. Certains d'entre eux ont été construits au temps de Staline, parfois sur d'anciennes installations occupées par des Iakoutes. Ces villages forment des petits trous dans le manteau de la forêt : en Sibérie, l'homme est une mite. Le Russe, perdu dans l'infini de la plaine, quoi qu'il fasse, ne sera jamais qu'un point sur la carte. Le Suisse, lui, y tient plus de place. C'est une fatalité. Certains bourgs cependant sont assez anciens, comme Olekminsk, fondé par des soldats du Tsar sous les ordres du cosaque Ivan Biketov. Seuls en territoire vierge, avancés à des milliers de kilomètres de toutes terres connues, défrichant les taches blanches avec Dieu au corps, l'Empereur aux tripes et la hache au bras, ils fondaient un poste de garnison entouré d'une palissade de bois, au bord du fleuve, puis attendaient quelques années qu'un corps expéditionnaire les relevât et agrandisse la tête de pont. Et c'est cela qu'on a appelé la *conquête de la Sibérie* : une constellation de misérables cabanes noyées dans l'infini des forêts. Il faut toujours que l'homme utilise des mots au-dessus de ses moyens...

Entre deux villages, personne. Je marche à proportion égale dans les marais et sur la grève ballotté de l'une aux autres au gré de cette foutue instabilité de l'homme qui le fait toujours revenir vers le terrain qu'il vient de quitter, persuadé que la marche y sera plus facile alors que c'est justement pour la raison inverse qu'il en était parti, quelques instants plus tôt. Je me nourris de saucisses et de pain transportés dans mon sac et je pense avec délectation quand vient l'heure de la halte combien ma condition est supérieure à celle des évadés, moi qui transporte nourriture et équipement, moi que personne ne traque, moi qui ai choisi de plein gré cette marche forcée.

Dans le hameau de Khorintski, je passe avec Natacha quelques douces heures vespérales que brise son mari, retour de chasse, demi-ivrogne mais brute entière, lequel me force à subir jusqu'à onze heures du soir le récit de son service militaire à Groznyï et des chachliks de Tchétchènes dont il prétend avoir fait son ordinaire.

Dans le gros bourg d'Olekminsk, où la tombe d'Alexandre Nevski côtoie la statue de Lénine, je pêche du poisson en compagnie du journaliste de la télévision locale et de ses trois fillettes, Natalia, Anna, Ala. Elles appartiennent à cette race d'enfants que les rayons du soleil éclairent plus généreusement que les autres. Toutes les trois pourraient servir de modèle à un affichiste de propagande nataliste soviétique. En attendant que ça morde, le père me raconte :

– L'année dernière la débâcle a entraîné des crues. La Lena est montée jusque dans le centre-ville et quand les eaux se sont retirées il y avait d'énormes blocs de glace dans les rues d'Olekminsk. Un de mes copains rentrait chez lui et en a heurté un, sa bagnole était défoncée, il roule toujours avec, mais l'a baptisée « Titanic ».

Je quitte Olekminsk à l'aube, après une nuit passée chez Aliona, la responsable des affaires culturelles de la ville. J'ai mal dormi parce que le soleil, levé à deux heures du matin, m'a tapé dans l'œil. Puis la brume est tombée sur la ville. On distingue des bicoques de travers et des palissades ondulées comme des soufflets d'accordéon. On croirait que les maisons chavirent sous une lame. La terre russe est un terrain vague. L'âme russe est un vague à l'âme. Et moi je traverse le pays, à l'aveugle, démoralisé par ma lenteur !

Je ne suis pas bloqué longtemps par la très large rivière Beriouk que j'atteins le soir. Alors que je m'apprête à la franchir à la nage, un pêcheur débouche des taillis.

– Tu es d'où ?

– De France.

– Je te convoie de l'autre côté.

Il me fait prendre place à bord de son canot pneumatique. C'est alors que je m'aperçois qu'il est soûl. Sa première tentative pour monter à bord échoue, il tombe à l'eau tout habillé, se relève, tire l'embarcation jusqu'au milieu du courant, nage pour traverser la rivière en halant le bateau à la corde puis, ayant repris pied, me porte sur son dos, me dépose sur la terre ferme et me crie en s'en retournant :

– Ne m'oublie jamais !

Mais je ne connais même pas son prénom à ce passeur ivrogne...

Le hameau suivant est vide, contrairement à ce que l'on m'avait indiqué : un champ de ruines que les herbes feront bientôt disparaître. Je n'ai emporté aucun vivre, comptant me réapprovisionner ici.

Il faut donc que j'abatte le lendemain une étape de quarante kilomètres sans rien avoir avalé depuis le matin de la veille, ce qui a au moins le mérite de me faire endosser pour quelques heures la condition d'un fugitif affamé. Tout au long de ce jour de jeûne, je me traîne à travers les marécages, mâchonnant des tiges d'oignons sauvages. Je passe deux gués importants. Le soir, au terme d'une journée sans nourriture, le peu de pensées qui me vient encore à l'esprit vole vers les évadés dont je me sens indigne. Qu'en serait-il si j'étais vraiment traqué par le NKVD, sous-alimenté et démuni de tout ? Au village de Daban où je parviens alors que le soleil, comme un sale petit gosse, refuse de se coucher, j'engloutis ce que m'offre le jeune maire du village : saucisse, bière, pommes de terre et crème fraîche dans laquelle il m'invite à plonger des myrtilles. En remerciement, je l'aide le matin suivant à planter les patates : je paie de cette façon ce qui m'a été donné ainsi que je cherche à le faire chaque fois que l'on m'invite. Plus question comme au temps de mes premiers voyages à pied et à vélo de jouer les parasites. Je n'ai plus l'âme à voler les gens au nom d'une prétendue hospitalité dont l'autochtone serait redevable au voyageur sous le prétexte que celui-ci l'honore de sa visite. Je me mets en route au début de l'après-midi après un dernier repas – saucisse, crème et bière blonde – chez le maire en compagnie d'un chasseur tatoué sur l'avant-bras (signe de passage en prison) d'une tête de mort dans les orbites de laquelle se croisent deux sabres d'abordage.

– Comment se passe l'après-communisme ? dis-je.

– Très bien pour ceux qui ont envie de travailler, répond le maire qui m'a avoué ce matin qu'il rêvait de devenir gouverneur de la Iakoutie.

– C'est faux ! L'État nous vole et tous nos impôts partent ici, dit le chasseur en tapant sur le ventre du maire.

Il me faut deux jours entiers avec leur lot de marais, d'orages surnaturels, de fondrières, de gués passés à la nage et de sous-bois vert tendre pour atteindre le village de Delgey. Je marche heureux en ma solitude. Je suis en communion avec cette race de pèlerins romantiques européens de la fin du XIXe siècle que les Knulp et Golmund de Hesse représentent magnifiquement. Je me sens vagabond du monde occidental.

Toujours pas d'ours, ni de moustiques grâce à la relative fraîcheur qui retarde, cette année, l'éclosion des larves. Mais je débusque deux cerfs magnifiques. Je piste leurs traces dans la vase en pensant au cervidé scythe que je porte tatoué à l'épaule. Il s'agit d'un *cerf à la course* qui ornait une fibule d'or retrouvée dans le bassin d'expansion des Scythes royaux, en Ukraine méridionale. Je tiens à ce tatouage pour beaucoup de raisons :

1) Tendresse pour le peuple scythe qui savait mieux que tout autre maîtriser l'espace.

2) Fascination pour la technique d'orfèvre de ces nomades, pour leur science de la minutie, développée devant la nécessité de déguerpir à la moindre alerte en étant capable de serrer dans un seul coffre de cuir la totalité de leur patrimoine artistique et de l'expression de leur génie.

3) Admiration pour le cerf lui-même, cet herbivore, vierge de tout meurtre, mais qui n'a pas devant la mort la placidité de l'ovin et sait même user quand il le faut de ses bois, avec violence.

4) Intérêt pour l'intelligence de cet animal que Michel Tournier décrit comme « construit par la tête » et qui doit sa rapidité à sa réflexion (chez le cerf c'est l'esprit qui fraye le chemin).

5) Attirance pour la manière dont les Scythes ont stylisé les bois du cerf en volutes d'or pareilles à certaines boucles rousses d'un être aimé.

6) Envie enfin d'avoir à mes côtés, perpétuellement, la présence d'une image, d'un *bras droit* pour peupler les heures de solitude, comme une icône veillant dans la nuit de l'église.

Le maire du village de Delgey est une femme. Je visite l'école où elle me propose de passer la nuit. Le mur de l'une des salles de classe est orné d'une galerie de portraits d'explorateurs. De gauche à droite : Magellan, Bering, Scott, Admunsen, Prjevalski, Thor Heyerdal ! C'est sous leur protection que je passe la nuit. À l'aube, je reçois la visite de la directrice de l'école. Samovar. Thé. Biscuits. Arrive Iadviga Petrovna Margelitia, une déportée lituanienne qui s'installe à un pupitre. Elle roule de grands yeux que je crois pleins d'effroi jusqu'à ce que je comprenne qu'ils sont pleins de folie. Elle raconte ce dont elle se souvient.

– Ils sont venus nous chercher le 16 juin 1941, en pleine nuit. J'avais dix-sept ans. Je suis descendue dans la salle commune de la ferme. Il y avait mon père, nu, encadré de soldats. Ils le frappaient. Lui hurlait : « Où sont mes enfants, où est ma femme ? ! » Ils nous ont dit de mettre des robes et ils nous ont embarqués dans un camion et ma mère a sangloté : « Qui va s'occuper des vaches ? » Par la suite, j'ai pu consulter mon acte de condamnation. Il était spécifié que j'avais été arrêtée parce que je menais des *activités souterraines*. Mais les seules activités souterraines que je menais c'était quand j'allais ranger les pommes de terre dans notre cave ! (Rires des dames à ce moment-là.) J'en ai pris pour vingt ans... ensuite j'ai été envoyée en relégation. Et depuis je suis là. Je ne suis jamais rentrée en Lituanie (elle calcule)... cela fait soixante et un ans.

– Et l'évasion, Iadviga Petrovna ?

– C'est que... pour s'évader, il faut avoir quelque part où aller.

Je suis ensuite présenté au directeur de la scierie, un Juif ukrainien, déporté en Iakoutie quand il était encore enfant, avec ses parents, à l'après-guerre. Il est gros, blond, sans doute thyroïdien et il boite. Il m'explique, mais je le comprends mal à cause de son fort accent, que l'usine tournait autrefois grâce au travail des relégués et que leurs descendants ont repris le travail de bûcheronnage à présent que la scierie est devenue une libre entreprise. Dans la forêt où il m'emmène en *waz* (modèle de véhicule tout-terrain russe), nous rejoignons une brigade de bûcherons. C'est l'heure de la pause. Ils sont serrés autour d'un feu où chauffe une théière. Ils regardent les flammes. Rouge des flammes et bleu des yeux. Certains d'entre eux ont de belles gueules de vieillards russes soljénitsyniens. Tous portent des tatouages de prison. Été comme hiver ils tronçonnent la taïga, ouvrant des percées dans le mur végétal qui nous entoure. Ils défrichent en ce moment une pente abrupte : travail dangereux car les troncs qui roulent emportent tout sur leur passage, les hommes comme les machines. Les stères sont ensuite convoyés à Olekminsk ou à Iakoutsk sur la Lena. Parmi ces forestiers, certains sont d'anciens zeks. Au cours de leur existence, ils n'ont pas toujours coupé du bois de leur plein gré...

Soudain, on se lève d'un mouvement commun. On a une sacrée idée ! On va montrer au Français la cache de l'ours ! Elle est tout près ! *Davaï !* La tanière qu'ils ont découverte ce matin mesure un mètre de haut et trois de profondeur. Elle est creusée au pied d'un bouleau dont les racines pendent dans le vide. C'est là que l'ours dort jusqu'au mois d'avril. En revenant vers Lena, je passe devant un poste d'affût perché dans les arbres. J'y grimpe pour contempler la vue. Un chasseur a oublié son livre qui est gorgé d'eau de pluie : *Djamila*, de Chingiz Aitmatov. Les bêtes peuvent aller tranquille si les chasseurs sont plongés dans des chefs-d'œuvre d'amour.

Il me reste deux jours de marche avant d'atteindre Macha. Je progresse dans une explosion de vie. Tour à tour, je marche le long de la ligne télégraphique, dans les marais, les taillis, ou sur la berge. Dans son lit, épanouie, Lena scintille. Le vent sur le fleuve fait des rides éphémères que la lumière accroche. Il y a, flottant dans le ciel, un filet de gaieté. L'air est rapicolant. Vigueur du grand dehors. Grande santé en dedans. J'égaille dans une clairière un troupeau de chevaux sauvages qui profitent de l'absence de l'homme pour vivre heureux. Ces terres épargnées sont gonflées de sève vitale. La taïga bourdonne comme le cœur d'un condamné en son dernier jour : les bêtes savent qu'ils seront courts les mois de leurs amours. Aussi ne perdent-elles pas une heure. Il est érotique le temps d'été arctique... « Je ne veux point mourir encore », dit la nature à peine réveillée. Chacun vaque à l'urgent : se reproduire, se dupliquer, s'apparier au plus vite avant que les froidures de l'hiver ne sonnent le glas du rut.

Pour faire passer le temps, je récapitule les conseils en tout genre qu'on m'a donnés en cas de rencontre avec l'ours :

Se transformer en tronc d'arbre, silencieux comme la souche.

Ne pas y penser.

Lui parler.

Ne rien dire.

Ne pas le regarder.

Le regarder sans crainte car il attaque ceux qui ont peur.

Frapper un arbre avec son bâton.

Ne pas faire le moindre bruit.

Et ce dernier avis d'un des bûcherons de Delgey : « Essayer de ne pas en rencontrer. »

Enfin Macha. J'aperçois de très loin la bourgade sur l'autre rive et dois peiner trois heures dans un marais avant d'arriver à sa hauteur. Rawicz écrit avoir traversé le fleuve à pied, sur la glace. Moi, qui suis parti en retard sur le calendrier des évadés (tous prenaient la fuite avant la fonte des neiges), prie les Ondines qu'un habitant du village construit en vis-à-vis de Macha accepte de me déposer en bateau, de l'autre côté.

Je n'attends pas longtemps. Un jeune policier russe, Gena, sanglé dans son uniforme, s'apprête justement à déposer en canot la fille de l'une de ses amies sur la rive opposée. Je me joins à eux. Pendant la courte traversée, je contemple le fil d'acier du visage de Gena et ses yeux bleu clair concentrés sur le pilotage et, dans le même axe, je vois se découper le profil de la jeune fille, une gracieuse Iakoute de seize ans nommée Lioubov (ce qui veut dire amour en russe), au regard pareillement fixé sur le lointain, et je comprends soudain, dans une fulgurance de l'esprit, le projet soviétique : mille races, une terre, un même but et toutes les forces fraternellement unies, toutes les énergies ensemble cotisées, tous les Gena et toutes les Lioubov – Russes blonds et Asiates graciles – rassemblés pour bâtir.

3
Vers le Baïkal

juin-juillet

Jusqu'alors, me contentant de suivre Lena, je n'avais eu aucune difficulté à trouver mon chemin. Les choses changent à présent car, quittant Macha où j'ai passé la nuit dans une base minière, je m'en vais, plein sud, vers le Baïkal. Je n'ose toujours pas étudier l'ensemble de mes cartes de peur que cela ne me donne une sorte de nausée de l'immense. (Car à qui traverse à pied les étendues avec la misérable lenteur du marcheur, une carte de géographie semble un tableau abstrait aux limites inatteignables.) Je me fixe au contraire un objectif pas trop outrancier : la rivière Vitim. C'est d'ailleurs un bon aiguillon puisque Rawicz la mentionne comme une étape importante dans sa course au Baïkal.

Je m'engage dans la taïga qui reprend ses droits à la lisière des derniers champs de pommes de terre de Macha. Une piste de boue conduit d'après mes cartes à une mine d'or distante d'une soixantaine de kilomètres. Quand la piste décrit des courbes sur le flanc d'un talus, je coupe dans les chevelures de la taïga, cassant à chaque pas les brindilles des sapins. Je m'élève à mesure que je m'éloigne du lit de Lena. Le terrain se fait plus sec et la taïga plus clairsemée. Je suis mélancolique de quitter le fleuve à la course dolente. La clochette rythme mon pas et, au soir venu, mon GPS m'informe que j'ai accompli trente-cinq kilomètres à vol d'oiseau, ce qui n'est pas mal et correspond sur le terrain à une honorable moyenne rawiczienne, puisque le Polonais avalait entre quarante et cinquante kilomètres quotidiens lors de ses premiers mois de cavale. Le jour décline faiblement mais pas jusqu'à mourir, comme une lampe à huile qu'on baisserait sans la souffler jamais.

Je découvre par hasard sur le bord de la piste une isba abandonnée. À l'intérieur, une stalle propre et du foin : une aubaine. J'installe là un bivouac des plus confortables : pour le vagabond, le fait de coucher sur la paille est un luxe. Après avoir consciencieusement enveloppé mes saucisses sèches dans des sachets pour que les ours ne soient pas attirés par l'odeur, je lis quelques poèmes (doux moment d'amnésie) et m'endors.

Le vrombissement d'un moteur me réveille en sursaut. Un camion est arrêté devant la cabane. Il est deux heures du matin. Une glauque clarté embue tout l'horizon. La porte s'ouvre violemment. Avant même que je ne jaillisse de mon sac de couchage, la stalle est envahie par un troupeau de porcs suivis d'un moujik qui leur assène une grêle de coups et d'insultes. Il me voit.

– Qu'est-ce que...

– Je suis français. En voyage. Je dormais...

L'instant d'après, je suis installé avec Gena (encore un !) entre deux bottes de foin, un verre à la main. Il est allé chercher de la vodka dans son camion pour fêter sa rencontre avec un citoyen français car Gena, ainsi que tous les Russes, est un fervent admirateur de Napoléon (mais les Russes l'aimeraient-ils s'il avait gagné ?). Il me dit livrer ici ces cinquante cochons pour les ouvriers de la mine d'or qui viendront en prendre possession le lendemain. Nous buvons dans la paille en mangeant des tranches de lard jusqu'à quatre heures du matin. Alcool, saucisses, cochons vivants : je vis éveillé un cauchemar de musulman... Soudain, après un long silence que j'emploie à observer le troupeau, je dis :

– Gena, il n'y en a que quarante-neuf !

– *Niet*, cinquante !

Je recompte.

– Quarante-neuf !

– Cinquante.

Nous lançons un pari. Cent roubles pour celui qui a raison. Je range mes affaires au sommet du tas de paille. Nous nous levons et commençons le travail. Il faut d'abord isoler les porcs. À droite, ceux qui sont déjà comptés, à gauche, les autres. Mais les bêtes ne se laissent pas faire et ruent contre les stères. Beaucoup nous échappent, que nous craignons de dénombrer deux fois. Plusieurs nous cognent les jambes en chargeant stupidement dans le tas. Gena perd patience et, attrapant frénétiquement les porcs à bras-le-corps, il les balance dans le coin que je surveille – réservé aux cochons déjà comptés – en gueulant :

– Dix-sept... dix-huit... dix-neuf...

À cause de l'alcool et des ruades, nous tombons à plusieurs reprises, déclenchant les hurlements de panique des porcs. Le spectacle est apocalyptique.

Le Russe s'énerve de plus en plus car, dans la cohue, il compte d'abord cinquante-deux bêtes, puis quarante-neuf. Quand il m'annonce qu'il va chercher de la peinture dans son camion pour marquer les porcs, je lui tends un billet de cent roubles.

– Laisse, tu as gagné.

Nous trinquons une dernière fois puis Gena s'en retourne, après de rapides adieux, me laissant sur la paille, trop ivre pour songer à le dissuader de repartir en camion. Quand je me réveille le lendemain vers onze heures, les porcs (une cinquantaine) sont toujours là, le soleil est déjà haut dans le ciel, ma tête voudrait que mon corps meure et j'ai sur le front une marque rouge laissée par la poutre contre laquelle j'ai dormi de pleine face.

Je parviens le soir même à la mine d'or indiquée sur mes cartes américaines au 1/500 000. Mes vivres sont épuisés. Les trente kilomètres de marche n'ont pas complètement dissipé les solfatares alcooliques de mon crâne.

La mine. On m'y accueille généreusement. Vladimir et Gena (le troisième en trois jours !) me font visiter les lieux. Les installations se composent de quelques isbas disposées autour d'un baraquement, lui-même ceint d'une palissade, qui porte ce genre d'écriteau : « Défense absolue d'approcher », « Zone strictement interdite, DANGER ! » J'en conclus que c'est là qu'on entrepose l'or. Il y a aussi des camions, des bulldozers, des bidons rouillés et, comme un couvercle posé sur le tout, une indicible atmosphère de désespoir. Les chercheurs d'or sont une trentaine à travailler sur les lieux.

– La vie ici ? C'est comme au bagne, sauf qu'on est bien payés, dit Vladimir. Là où il y a l'or, il y a l'argent !

On me convie dans le réfectoire : une longue baraque de rondins avec des tables de bois flanquées de bancs sur lesquels on prend place pour recevoir son brouet dans une gamelle de métal. On me sert des pommes de terre et du poisson frit ainsi que des poires cuites, à volonté. Nonobstant cette abondance de la chère, il règne ici un petit air de camp de détention, sans doute à cause de la lugubre grisaille de la taïga et du spectacle des gueules extraordinairement cassées de mes hôtes. La différence avec la prison, c'est qu'ici chacun est venu endurer son labeur et sa solitude de plein gré, alléché par un salaire jusqu'à dix fois supérieur aux revenus moyens de Russie.

Une nouvelle journée de marche sur la piste de plus en plus défoncée me mène à Moldvo, tête de pont de la mine d'or à trente-cinq kilomètres de ma dernière étape. Kolia, l'Ukrainien qui m'accueille, ne veut pas croire que j'ai fait toute la route à pied depuis la Lena.

– Ici, me confie-t-il, on vit comme des oubliés : Moldvo, c'est une île déserte sur laquelle nous sommes sept à avoir échoué.

Kolia tient absolument à me montrer sa dernière conquête : un élan noir qu'il a descendu tantôt, d'une seule balle. La tête tranchée repose dans la chambre froide. Le reste est dans les mains du cuistot qui équarrit la bête pour le repas du lendemain.

– Où est-ce que tu comptes aller ? me demande-t-il, le soir, autour de la table commune où dînent les mineurs.

– À Kropotkino, plus bas, vers le sud.

– À pied ?

– À pied.

L'éclat de rire général me met la puce à l'oreille : il doit y avoir quelques difficultés...

– Tu ne passeras pas.

Cette mise en garde, je l'entends sans répit lors de chacun de mes voyages. Les gens imaginent toujours qu'il est beaucoup plus ardu de rejoindre l'étape suivante que d'être arrivé jusqu'à eux. Si j'annonce que je fais route vers la Mongolie, personne n'y trouve à redire car le but est trop abstrait, mais si je déclare vouloir gagner l'ubac, ceux de l'adret se récrieront. Le Local terrorise plus que l'Universel. L'enfer, c'est le voisinage. Parce que nous le connaissons mieux, ce qui nous est proche effraie davantage que ce qui nous est lointain. Je ne prête donc pas grande attention à leurs mises en garde, mais Kolia insiste.

– D'ici à Kropotkino, il y a trente-cinq kilomètres de marais, tu ne peux pas y arriver.

– Les marais, dis-je, j'en ai soupé sur les bords de Lena.

– Rien à voir. Là, ce sont des cuvettes de plusieurs kilomètres de diamètre remplies d'eau. Même les Kamaz à dix roues ne passent pas. Sans canot gonflable, tu ne peux pas.

– Mais j'ai traversé des bras morts à la nage.

– Aucun rapport. Tu compares des bras de rivières et des marais de fonte. Le seul moyen, c'est le GTT, un blindé amphibie qu'on utilise pour rallier les postes de mine. C'est à prendre ou à laisser. Tu peux venir avec nous demain matin, il y en a deux qui vont à Kropotkino. Départ quatre heures.

Couché sur le lit qu'on m'a attribué dans un des cabanons, je réfléchis. Je n'ai pas peur des marais. La peur c'est quand l'âme ne fait plus confiance au corps, or j'ai confiance en mon corps et la rage d'avancer ne m'a pas quitté. Je suis comme un personnage de Kerouac : ma fonction, ma nature, ma raison d'être et d'être en paix, c'est le mouvement. D'un autre côté (ça c'est la voix du diable qui me le souffle) on ne refuse pas une promenade en blindé lourd de la guerre froide piloté par un chercheur d'or russe, à l'azimut, dans un marais sibérien. En outre, s'ils disent vrai, si les marais sont impraticables, n'ai-je pas intérêt à m'embarquer avec eux ? Mais, si je cède à la tentation du GTT, je romps mon serment du voyage *by fair means*... Pourtant, que pèseront trente kilomètres mécanisés sur cinq ou six mille d'effort ? Et ce GTT, vieux monstre mécanique de l'époque brejnévienne, ne pourrait-on pas le ranger dans la catégorie des *moyens honnêtes* ? Je m'endors en plein dilemme.

Une vague nous submerge...

J'ai bien fait d'embarquer.

Les deux GTT disparaissent parfois entièrement sous l'eau. Il est quatre heures et demie du matin. Les blindés avancent dans les bourbiers, défoncent les taillis, fracassent les plans d'eau. Les deux gros insectes d'acier, destinés à faire route vers l'Europe de l'Ouest dans les années 1960 et reconvertis dans le transport de poussière aurifère sibérienne, progressent sans hâte mais sans hésitation, de toute la puissance de leur indifférence mécanique, massacrant la taïga. Ils n'avalent pas les kilomètres, ils les écrasent. Je suis fasciné par la tranchée que laissent les chenilles dans leur sillage et que les eaux, sourdant de la boue, remplissent instantanément. Comment aurais-je pu venir à bout de ces dépressions marécageuses dans lesquelles nous enfonçons ? Mes remords s'évanouissent dans le rugissement des machines. Pour clore ces heures de ruée infernale, nous traversons en mode amphibie l'affluent profond qui nous sépare du village de Perevoz.

À peine quitté mes tankistes de l'Eldorado, je fais un crochet par le magasin pour m'approvisionner car j'ai devant moi cent kilomètres de taïga avant le village de Kropotkino. L'épicier, flairant l'étranger, demande de quel pays je viens. En ma qualité de Français, il me fait passer *manu militari* devant la longue procession de babouchkas qui attendent leur tour pour s'approcher de l'étal. Une fois de plus ma nationalité me sert de coupe-file. S'ils savaient ces pauvres Russes dans quel mépris mon peuple bouffi de lui-même les tient [1], peut-être modéreraient-ils leurs ardeurs francophiles. Un peu gêné d'avoir brûlé la politesse, j'entreprends de raconter les raisons de mon voyage. Je développe pendant dix minutes une petite conférence sur les évadés du goulag sibérien devant les ménagères qui m'applaudissent et m'offrent pour ma peine une saucisse d'un kilo et demi qui me nourrira jusqu'à Kropotkino.

Les kilomètres qui suivent, je les consacre à me dépolluer le corps du fracas des GTT. Je marche pendant deux jours au bord d'une rivière dont le cours supérieur mène à un col d'où je plongerai sur

1. Il n'y a pour s'en convaincre qu'à voir comment la pensée française a traité les Russes en général et le gouvernement en particulier dans l'affaire tchétchène, dans celle du *Koursk*, dans celle de l'élection présidentielle ou celle du théâtre pris d'assaut par les islamistes en 2002, voire celle des enfants-otages de Beslan. Les Trissotins du monde occidental n'ont su offrir qu'une chose à la Russie post-soviétique : des leçons.

le Vitim [1]. À midi, pour la halte, je construis un petit feu, ce qui est le meilleur moyen d'écarter les ours. En outre, le feu me tient compagnie. C'est un cher petit ami que je peux faire jaillir de mes doigts chaque jour, un petit dieu bien vivant qui réchauffe l'âme, les saucisses et les mains. J'aime lire de la poésie à mon petit feu. En Sibérie, je m'offrirai ce plaisir presque chaque jour.

Quand je croise Valeri, à la fin de l'après-midi, je suis loin de me douter que je vais manquer de tuer un homme. Il est assis sur un rondin, à l'ombre des murs d'une ferme que longe la piste. Il nettoie un fusil. Il me le tend et lance :

– Tiens, tu n'as qu'à essayer de toucher la gamelle !

Comme on est en Russie et qu'en Russie on ne se préoccupe pas de la rationalité des choses, je ne discute même pas. Je ne défais pas mon sac à dos, je saisis le fusil, je l'arme, j'épaule, je vise la gamelle posée à cinquante mètres sur un tronc, je retiens mon souffle et je commence à enfoncer la détente. À ce moment, une forme apparaît dans la ligne de mire : un homme a débouché de l'angle de la ferme et court devant moi en hurlant :

– C'est mon flingue ! Salaud ! n'y touche pas !

Il est soûl. Une seconde plus tard il était mort et moi je finissais mon expédition dans le cachot central de Kropotkino pour homicide involontaire.

Il s'appelle Oleg, il est le propriétaire du fusil. Il me l'arrache des mains, en me couvrant d'injures. Valeri vient à mon secours en titubant : je ne m'étais pas aperçu qu'il était ivre, c'est tout le problème avec les gens qui restent assis. Je vis alors

1. Rivière de Sibérie, affluent de la Lena.

une expérience extrêmement pénible : celle de passer trois minutes pris dans la querelle de deux ivrognes russes qui se disputent un fusil chargé. Je fais mine de filer. Mais Valeri veille :

– Tu n'as rien bu !

Le tord-boyaux me tord les boyaux. Soixante degrés peut-être. Assez pour se confier :

– Ici, mon petit camarade français, dit Valeri, c'est la zone : douze mois d'hiver et le reste c'est l'été. Moi, j'étais mieux au trou. J'en ai fait huit ans. À Irkoutsk. Du temps de l'Union ! Depuis, quand je vois un flic, je crie « pédéraste » ! dans l'espoir qu'ils m'y renvoient.

Je finis par quitter le grand Valeri, spécimen de cette race d'ivrognes – cœur tendre et foie pourri – qui tiennent trop bien l'alcool pour le lâcher un jour. La suite c'est une vallée sinistre qui pourrait s'appeler « le val de la désolation ». Ici, les Russes cherchent de l'or depuis cent vingt ans. La vallée tout entière est crevée par la mâchoire des machines. Ineptie des hommes : retourner une montagne pour trouver des paillettes ! Je n'aime pas cet or qui embellit certes le cou des femmes mais pour lequel on saccage le ventre de la terre. Ne pourrait-on pas le laisser reposer en paix ? Pourquoi le déterrer du limon pour l'enfouir aussitôt dans l'obscurité des coffres ? Je passe dans quelques villages de déshérence où, par amour de l'or, les hommes finissent par avoir l'œil jaune. La fièvre couve sur la contrée. Le soir, la vallée disparaît dans la poussière levée par les bulldozers. L'enfer c'est quand la terre commence à ressembler à la lune. Rawicz, étrangement, ne décrit pas ces vallées qu'on exploitait déjà pourtant à plein rendement à l'époque de son passage.

Le soir du 22 juin, je parviens dans le bled d'Artemov, un de ces endroits du monde qui ressemblent à des terminus de lignes abandonnées. Aux dames du club de la culture qui m'offre le gîte, je me plains du pays :

– On boit trop chez vous... Pas possible de rester sobre seulement deux jours d'affilée.

Elles compatissent un peu, changent de sujet, m'interrogent sur mon voyage puis m'invitent à vider avec elles une bouteille de Flagman à 40 degrés. L'une d'elles, Nina, jaugeant cent vingt kilos, me confie :

– Si je suis obèse, c'est parce que je suis née au Kazakhstan, dans un village où il y avait des radiations nucléaires. C'est à cause d'elles que j'ai gonflé. Mais de toute façon, je n'aime pas votre engouement pour les squelettes, en France. La vraie beauté est dans Renoir (elle prononce Rééénouâr), pas dans les carcasses de vos mannequins !

Natalia se souvient soudain que nous sommes le 22 juin.

– C'est l'anniversaire de l'opération Barberousse !

– Il faut boire à nos soldats !

– Et contre le fascisme !

– À l'armée !

Les quatre grâces d'Artemov se lèvent alors d'un même mouvement et, verres brandis, entonnent *L'Internationale*. La vraie. Dans le décor déglingué de ce bout du monde, l'hymne terrible de la grande révolution sonne plus grandiose que quand il est gueulé sous les banderoles à slogans par les petit-bourgeois syndiqués de France (qui ne supporteraient pas une seule journée les conditions d'existence de mes bienfaitrices...). Elles sont staliniennes, mes amies de ce soir, ce qui est tout de même plus élégant que d'être communiste. Vers dix heures, un vieillard nous rejoint. Lui est sénile.

– C'est un ancien déplacé politique, dit Nina. Dans toute la région de Bodaïbo, il y a eu des milliers de déportés qui ont été employés dans les mines d'or.

On l'installe sur un canapé où il joue frénétiquement de la balalaïka jusqu'à minuit en secouant la tête de droite à gauche. Les dames s'en vont. Le vieux gratte toujours. Ce qui ne me gêne pas car j'ai de toute façon renoncé à dormir à cause de la famille de chats noirs qui vivent eux aussi au club de la culture et ont décidé de passer la nuit dans mon sac de couchage.

Le lendemain je traverse encore quelques villages aurifères. Derrière les palissades, on me regarde de travers. Est-ce mon chapeau sans forme ? La gamelle qui pend à mon sac ? Mon bâton taillé en pointe ? J'incarne pour ces gens dégoûtés du présent et inquiets pour l'avenir l'image du vagabond. Les mères rappellent d'ailleurs sévèrement leurs enfants à elles quand j'approche. C'est tout juste si on ne rentre pas les poules.

Je ne reste qu'une journée dans la ville de Bodaïbo, au bord du Vitim. Le temps de dissoudre le cafard qui m'avait envahi la veille au cours d'une longue journée de marche sous la pluie. Le temps aussi de consulter au musée de la ville les archives concernant les neuf cent soixante déportés politiques qui ont échoué ici, en relégation, entre 1920 et 1930. Je profite de la halte pour chercher une fusée de détresse qui pourrait me défendre d'une attaque d'ours. Accompagné de Veronika, la journaliste de la télévision locale à qui j'ai donné une interview tantôt, je rencontre le capitaine de la compagnie de « pompiers-parachutistes ». Il m'explique qu'en été, quand les grands brasiers menacent un village, les pompiers sautent au-dessus des flammes avec une tronçonneuse serrée autour de la jambe. Puis ils coupent des arbres, sans relâche pendant vingt-quatre heures, pour ouvrir des pare-feu dans la forêt.

– Vous donner une fusée de détresse, s'exclame-t-il ? Vous êtes fou ? Pour que vous flanquiez le feu à la première occasion ?

Il est certain que l'idée est un peu stupide d'aller demander à des pompiers de vous prêter des allumettes. Veronika suggère l'aérodrome. Un pilote nous explique qu'en cas d'accident d'avion, une fusée de détresse est inutile et qu'il n'en emporte jamais en vol. Je quitterai donc Bodaïbo sans. À l'aube du lendemain je gagne les bords du Vitim qui coule au sud de la ville. Étape importante pour moi car c'est une des rares indications géographiques que Rawicz livre dans son récit. Les fugitifs passèrent à pied sur la glace. Moi, qui ai deux mois de retard sur eux, je prends le bac...

Sur l'autre rive, j'enfourche la bicyclette achetée la veille (il y en avait deux en tout à vendre dans la ville). La piste qui traverse le massif au sud du Vitim sert aux camionneurs à convoyer la production des mines d'or vers la ligne de train Baïkal-

Amour-Magistral à deux cents kilomètres au sud. Elle franchit des montagnes hérissées de taïga, passe des cols à plus de 1 000 mètres, remonte des vallées lugubres. Avant d'avoir connu cette route, je croyais savoir ce qu'était une mauvaise piste, mais celle-là est si pénible qu'au bout d'une journée une inflammation des mâchoires – due au fait d'avoir trop serré les dents – m'empêche d'ouvrir la bouche. Pour ne pas avoir à porter mon sac sur le dos, je le noue au guidon avec mon chèche. J'atteins un col séparant le Vitim de la rivière Telmama. Je suis extenué. J'avais oublié combien le vélo aliénait l'esprit. À bicyclette, toute l'énergie spirituelle est consacrée à maintenir la tension physique. Et ce qu'on gagne en vitesse est à mettre au débit de la production intellectuelle. Le corps travaille, le cerveau dort. C'est donc dans un parfait état d'abrutissement que je passe quatre cols entre 800 et 1 200 mètres. La beauté des marais qui tapissent les ensellements aplanis par des millions d'années de rabotage géologique ne me gonfle même pas le cœur. Puis l'obscurité entreprend de grignoter le jour.

Les bûcherons qui m'accueillent dans leur cabane, à cent dix kilomètres de mon point de départ du matin, vivent là toute l'année, dans un baraquement enduit de suie, avec pour trousseau une lampe-tempête, des paillasses, un réveil qui tictaque et quelques livres.

– L'hiver, on travaille dans la forêt jusqu'à – 50 °C, au-delà on ne sort pas. Il y a des limites, me dit Sacha.

– « – 50 ° C », on n'a même pas idée de ce que c'est, chez moi, en France, dis-je.

– À – 40 °C, on sort avec trois couches d'habits seulement. Quand on travaille, on n'a pas froid.

Je dors très mal cette nuit-là, à cause des quintes de toux tuberculeuses de Sacha et parce qu'une question me taraude : quelle différence y a-t-il entre la vie de mes deux hôtes et celle des zeks-bûcherons qui peuplaient les goulags d'autrefois ?

Au cours du jour suivant passent des vallées au fond desquelles, malgré la saison, le froid fige encore les torrents en chemins de glace. Le dernier col ouvre sur une descente de trente kilomètres en forme de montée au calvaire. Les chaos sont si violents que les inscriptions sculptées sur les poignées de mon vélo s'impriment dans mes paumes. J'arrive dans le centre du village de Taksimo, les nerfs en loque. Pour me soulager, je couvre d'insultes un jeune moujik qui me fait une queue de poisson au volant d'une Lada pourrie. Il se range et sort de sa voiture, sûr de sa force, et il est un fait qu'il ressemble à Stakhanov au mieux de sa gloire. Mais, trop épuisé pour avoir peur, j'avance sur lui en hurlant une telle bordée d'insanités qu'il bat en retraite et redémarre précipitamment en criant au fou !

Taksimo a été fondé à l'ouverture de la ligne de chemin de fer Baïkal-Amour-Magistral, la branche la plus septentrionale du Transsibérien, inaugurée sous Brejnev, dans les années 1970. La ligne marque la frontière entre la Iakoutie et la Bouriatie. Elle a été construite par les zeks. Ils ont asséché les marais, percé les tunnels, posé les ballasts, œuvrant été comme hiver à leur tâche pharaonique, menu fretin sacrifié à la voie ferrée comme leurs frères-esclaves de la haute Égypte le furent aux pyramides. Ma route, une nouvelle fois, croise le destin des naufragés du siècle rouge. La suite du cheminement s'impose d'elle-même : je n'ai qu'à longer la voie pendant cinq jours, vers l'ouest, pour atteindre l'extrémité nord du Baïkal. Le lac constituait un objectif majeur pour les évadés car il leur suffisait, une fois atteinte la rive orientale, d'en longer les six cents kilomètres vers le sud, pour que cet axe naturel les conduise à la frontière mongole.

Je quitte Taksimo dans un piètre état, mal remis de l'étape de la veille. Pour ne rien arranger il y a eu Oxanna et Dina, les demoiselles rencontrées hier soir dans le bar où j'ai échoué. J'ai voulu commander une bière Baltika n° 5 pour me délasser les muscles mais, mésinterprétant mes bribes de russe, la serveuse a compris que je voulais cinq Baltika n° 1 et j'ai dû venir à bout des bouteilles d'un demi-litre en conversant pâteusement avec les deux filles qui cherchaient à comprendre pourquoi je ne voulais pas voyager en train ou par autobus.

Les cinq jours qui suivent ne sont pas reluisants. Une piste abandonnée longe la voie ferrée. Au fond, vers le sud, très loin : les montagnes qui dominent le Baïkal, encapuchonnées de neige (à moins que cela ne soit de nuages mais on distingue mal à cette distance ce qui appartient à la terre de ce qui est au ciel). Parfois la piste traverse un marais hérissé de bouleaux blancs et de troncs calcinés, comme dans un paysage médiéval. Souvent, les ponts de bois qui enjambent les cours d'eau sont effondrés et je dois traverser à gué, ma bicyclette sur le dos. Il arrive aussi qu'une rivière trop large, infranchissable à pied, me force à rejoindre le pont de la voie ferrée. Et si le train arrive pendant que je suis sur le pont, je trouve refuge dans l'une des chicanes prévues à dessein, et le train fuse vers le lac en me frôlant et le pont vibre et je sens monter en mon âme un amour magistral pour le Baïkal.

Je roule à sept à l'heure, secoué par les cahots de la piste. Je traîne derrière moi un nuage de taons. Leurs escadrilles dessinent des orbites autour de ma tête. Ils profitent un peu de l'appel d'air, mais ma vitesse les fatigue et ils sont contraints à de courtes haltes sur mes avant-bras. Je remarque que le taon abandonne la poursuite au-delà d'une vitesse de douze kilomètres et demi à l'heure. Je suis heureux de livrer gracieusement cette observation à toute Académie des sciences qui serait intéressée par le sujet. Mais comme je ne peux pas tenir très longtemps à pareille allure, je vais de concert avec eux pendant plusieurs jours. Le soir, je campe sur le parvis de postes d'aiguillage abandonnés ou bien bivouaque dans la taïga. Un jour, je fête ma rencontre avec la gardienne d'une station de météorologie enfouie dans la forêt. Nous buvons du kvas (alcool de seigle) avec modération tout en croquant dans des brochets. Je sens chez Elena une tendance à l'ivrognerie, mais la Bouriatie est une terre aride et comment ne pas excuser la météorologue de noyer dans l'alcool son dépit de ne rien voir tomber dans les pluviomètres ?

Le terrain change au fur et à mesure que j'approche du lac. La piste devient sableuse et blanche, ma roue échoue dans les ornières. Parfois je roule entre de véritables petites dunes d'un très beau sable clair qui donnent à la Sibérie un air saharien. Un jour je croise une biche, un renard, un écureuil et c'est tout. Pas d'homme. Le ciel est chauffé à blanc. Ô l'angoisse des soleils blêmes qui annulent la géographie dans la fusion des horizons. La chaleur m'effraie. Au-delà de 40 °C je trouve le monde angoissant et trop grand. De l'immensité sibérienne, ouverte comme un cauchemar, ne peut pas naître une vraie culture. Quand elle est trop vaste, la géographie annule en effet l'histoire. Ainsi, dans ces taïgas, ne peuvent subsister que des installations humaines pionnières, villes qui restent provisoires pour des siècles. Comment dès lors en vouloir aux Russes d'avoir construit Iantchukan, la cité où je parviens un jour, au bord du train, îlot sans appui pour l'âme, amas de barres de béton jetées là comme on lance les dés. Même le train passe ici sans s'arrêter jamais.

Un soir de juillet, juste avant d'atteindre le village d'Ayogan, je vis une expérience de dédoublement : mon corps meurtri par les coups de boutoir de la route cahoteuse et la morsure des insectes continue d'avancer pendant que mon esprit, indifférent à la peine que j'endure, sort de son oothèque et vague, parfaitement étranger à l'enveloppe qui l'abritait jusqu'alors. Cet égarement dure pendant deux ou trois minutes au cours desquelles je ne perds pas ma lucidité mais, au contraire, me force à rester concentré pour que ne se rompe pas le fragile état de grâce, ce flottement ténu qui, s'il perdurait, me permettrait d'aller plus loin encore et sans souffrir sur le chemin. Mais le charme retombe, l'esprit revient dans sa boîte en os et reçoit à nouveau le signal de mes nerfs qui lui crient grâce. Halte donc, au bord de la piste, derrière le rideau de taïga.

Pendant ces journées, je longe le cours supérieur de la rivière Angara. À cent kilomètres du lac, la forêt se fait plus luxuriante. Les bouleaux prennent la taille de chênes germaniques. Il flotte une atmosphère humide dont Rawicz écrit qu'elle lui avait indiqué l'approche du lac et qu'elle rend les gens mélancoliques quand ils vivent longtemps au bord de l'eau. La mélancolie est une fleur que j'aime. Elle est un sentiment suranné que les habitants des villes modernes de l'Ouest ont troqué contre l'angoisse. Sans doute la mélancolie étreint-elle immanquablement l'âme d'un Russe quand il s'installe sur la rive d'une masse d'eau plate et potable. Je retrouve le velours du goudron à une trentaine de kilomètres de Severobaïkalsk, ville portuaire bâtie pendant la construction du BAM à la corne nord du lac. Au détour d'un coude de la route, le Baïkal m'apparaît et je vois le ciel se refléter sur l'opale de sa surface.

Je fais halte sur la berge. Devant moi, six cents kilomètres de rives sauvages et, au bout, la Mongolie.

4
Mer Baïkal
juillet

Severobaïkalsk me déçoit beaucoup. Je m'attendais à une villégiature lacustre comme l'Europe centrale sait en produire : quelque chose entre Interlaken et Bellagio, mais je découvre une ville bétonnée dont le commerce avec le lac se réduit à une jetée industrielle, un quai de déchargement et une place d'armes avec casernement de soldats. Par bonheur, à l'extrémité de la ville, il y a le yacht-club (à prononcer « iârt-kloub ») qui recèle quelques dériveurs et trois ou quatre beaux voiliers à l'ombre d'un baraquement en pin. J'y passe deux journées aussi languides que le lac lui-même.

À cette latitude, le Baïkal ne mesure que quarante kilomètres de large. Severobaïkalsk se tient sur le commencement de la rive occidentale, à la pointe nord-ouest du lac. Je compte longer le rivage, du nord au sud, sur la côte opposée. Je conclus un marché avec Sacha, l'un des yachtmen : je lui cède mon vélo contre une traversée en voilier vers l'autre rive. Nous convenons de partir le jour suivant. Le soir, tous les membres du *kloub*, Julia, Natalia, Georgiu, Andreï, Sacha, réunis dans le ventre du voilier *Nadejda* (l'espoir, en russe), trinquent à notre bonne fortune. Pratiquant cet art du toast en forme de cercle vicieux que les Russes ont institué, nous avalons successivement tranches de saucisses grasses et verres de vodka : les premières pour éteindre le feu qu'allument les seconds et les seconds pour dissoudre le souvenir graisseux que laissent les premières. S'adonner à l'exercice du toast russe c'est savoir manier à tour de rôle le rabot et le lubrifiant.

Georgiu, le capitaine du club, me bénit à la chaman : quatre gouttes de vodka lancées vers les points cardinaux, deux gouttes sur le mât du navire, une goutte sur mon front et le reste dans nos verres.

– Que pensent les Français de la Sibérie ? demande Andreï, le skippeur du *Nadejda.*

– Ils en ont une image négative, dis-je, ils voient une terre blanche, pleine de glace, d'ours et de prisons politiques.

– C'est une vision très partielle, dit le capitaine.

– Je sais, dis-je.

– Il y a aussi les moustiques et les marécages, ajoute-t-il.

– Et les tiques, dit Sacha.

– Et que pensent-ils des Russes ? dit le capitaine.

– Que c'est le seul peuple du monde qui s'achemine résolument vers le XIXe siècle, dis-je [1].

– Et toi ?

– Comme Mme de Staël, dis-je.

1. Cette jolie analyse sur la Russie contemporaine vient de Jean-Louis Gouraud, cavalier russolâtre, écrivain slavophile qui développe cette idée de la « marche de la Russie à l'envers de l'Histoire » dans *Russie : des chevaux, des hommes et des saints*, Belin, 2001.

– Pas lu, dit-il.

– « Les Russes n'atteignent jamais leur but, parce qu'ils le dépassent toujours. »

– Ça nous va.

Mon projet de longer la rive orientale se heurte à un obstacle administratif. Une partie de la côte est classée en réserve naturelle et il faut obtenir un laissez-passer pour y pénétrer bien que personne n'en contrôle l'accès. Sacha tient fermement à ce que je sois en règle. Mais Guenadi A., le directeur du Polygone de la Biodiversité (c'est le nom de la réserve naturelle), est un pervers administratif particulièrement dangereux et il ne me cède le *propouskat* qu'au terme d'une journée entière de supplications. Il appartient à cette race de bureaucrates nés des noces de l'encrier avec le buvard, ronds-de-cuir gogoliens qui entravent honteusement la marche de la Russie. Je fulmine en songeant que je suis parti voyager sous la bannière de la liberté et que je me trouve aux prises avec un procédurier de la pire espèce qui partage avec les rats la particularité de se nourrir de papier.

Le lendemain Sacha et moi levons l'ancre, à bord du *Cassilia*, vers la côte est. Nous traversons le lac lentement. Dans la lumière aluminium, l'eau est gris-bleu avec des reflets de mercure. Est-ce parce que l'eau est une palette à soi seule qu'il y a plus de peintres de la mer que de la montagne ?

L'autre côte apparaît vite avec ses plages de sable coupées de caps rocheux. Le massif montagneux qui borde la rive s'écroule presque directement dans le lac ; il ne laisse qu'un replat de quelques centaines de mètres entre les premières pentes et le rivage. Sacha me dit que, vers le sud, il y a des falaises qui, elles, tombent perpendiculairement dans l'eau et que je ne pourrai pas passer.

Le jour se voile. Des nuées de condensation cotonneuses montent de la surface, glissent sur les rochers et roulent sur le faîte des bouleaux dont le rideau s'étire, rectiligne, parallèle au lac. Il règne une atmosphère de gravure sur acier. Avant de disparaître, le soleil réussit sa percée et pose sa gloire sur toute cette grandeur. C'est la deuxième fois de ma vie que je vois le Baïkal et il m'apparaît de nouveau dans une lumière d'Empire, couronné de faisceaux. Sacha jette l'ancre dans une crique sauvage. Je décide de passer une dernière nuit à bord du bateau. Demain, je débarquerai et partirai vers le sud, à pied, seul.

Trois cent trente-six ! C'est le nombre de rivières qui se jettent dans le Baïkal. Je marche sur la grève le lendemain matin en pensant à ce que ce chiffre représente de gués à franchir. Quand je reviendrai à Paris, je m'installerai à la terrasse d'un bistro pour vérifier ce chiffre sur une carte en buvant un demi de bière. Ou bien du gamay, tellement frais qu'il y aura de la buée sur le verre.

Il pleut sur l'eau du lac et mon cœur est si triste. Il n'est jamais de joie sous l'eau. Il n'y a d'ailleurs qu'à voir la tristesse du regard des poissons. Je chemine sur une plage de sable rose que l'averse rend mauve. J'ai quitté Sacha à six heures ce matin. Il m'a déposé sur la grève à la rame. Ensemble nous avons cherché un bon bâton de pin que j'ai taillé avec mon poignard. Puis il m'a donné une accolade, il a dit : « Écris-nous », et il est remonté dans son canot en me laissant seul avec le ressac. Je l'ai regardé regagner le *Cassilia*, hisser la voile et partir : tache blanche qui s'éloignait sur le plateau du lac. J'ai commencé à faire route vers le sud et à présent je traverse mon premier gué avec de l'eau jusqu'à la taille.

Ma descente au bord du lac Baïkal dure onze jours. La côte n'est pas totalement déserte. Situées à deux ou trois journées de marche les unes des autres, les cahutes des gardiens de la réserve naturelle, qui accueillent aussi des météorologues et des ichtyologues, s'échelonnent le long de la grève. Dans la première où je fais halte, non loin de la rivière Shenangda, quatre hommes sont occupés à déjeuner de lard et de vodka. Il y a Pavel et Vaclav, qui ont échoué ici pendant la construction du BAM et qui n'en disent pas plus. Il y a Youri, un jeune Bouriate de dix-huit ans. Le quatrième est surnommé « 194 ».

– Je me suis fait tatouer ma date de naissance sur les phalanges de la main gauche. C'est l'usage en prison. Mais un jour on m'a coupé le petit doigt à la hache et je n'avais pas noté le chiffre... Je ne m'en souviens plus : c'est entre 0 et 9 de l'année 40... Il reste « cent quatre-vingt-quatorze ».

« 194 » m'invite à visiter l'objet de sa fierté : un troupeau de rennes domestiques aux bois de velours. Ils paissent dans une pâture non loin de la rivière et je me prends d'affection pour ces bêtes un peu nerveuses qui ont fait la force des peuples boréaux et hanté les songes des rois de la Scythie.

La rivière Shenangda est trop puissante pour que je la franchisse en son embouchure. Il me faut remonter de trois kilomètres en amont dans la taïga pour pouvoir la guéer, avec de l'eau au torse. Sur le bord du lac, je progresse très lentement. Le terrain n'est pas favorable : aux plages de sable fin succèdent des étendues de galets ronds qui meurtrissent les chevilles. Au passage, des caps dont les festons mordent les eaux du lac, des empilements de gros blocs contraignent à l'escalade. Sur le sommet du talus de ressac, ce sont des graviers qui entravent la marche. Reste la solution de la taïga : on peut suivre la rive, derrière la lisière d'arbres, sur une coulée d'animaux, tracée par les élans, les renards et les ours, dessinée comme un sentier à travers les mousses et les myrtilliers. Mais, souvent, un bosquet de jeunes pins ou des entrelacs de racines de cèdres barrent le passage. Il faut alors ramper sous ces nefs. Mais l'épuisement me commande vite de revenir sur le sable ou les galets. J'oscille ainsi dix jours durant entre la certitude, quand je suis sur la grève, que j'irai plus vite dans la forêt, et la conviction, lorsque j'avance dans la taïga, que la plage sera plus confortable.

Sans mon bâton de pin, pas de marche possible. Il est l'appui de chacun de mes pas. Il me sert à sonder les gués, à les franchir. J'ai roulé en son extrémité plusieurs bandes d'écorce de bouleau que j'ai fourrées de lichen et de mousse. J'y ai piqué quelques plumes. Le tout ressemble à une figure totémique primitive, mais c'est en réalité une arme contre les ours. Le bouleau est si inflammable qu'à la première agression je peux faire flamber cette étoupe et transformer mon alpenstock en torchère. C'est une technique de trappeur sibérien que Sacha m'a livrée avec quelques autres recommandations au moment du débarquement.

J'ai aussi accroché au bâton, sous la bourre de mousse, une fusée de détresse en bakélite appartenant à la flotte russe, cadeau de Georgiu, le capitaine du yacht-club. C'est un cylindre de vingt centimètres de long fermé par un bouchon qui protège une goupille de déclenchement. La fusée est censée produire un feu de Bengale. Elle est destinée aux marins en perdition ; elle devrait terroriser les ours. Ma seule crainte est liée à l'âge de l'objet : 1966. Époque brejnévienne. Il est extrêmement probable que, près de quarante ans après, le système de mise à feu ne réponde pas ou, mieux, que la fusée m'explose dans les mains et me pulvérise ce qui aura au moins l'insigne avantage de m'éviter la dent de l'ours. La clochette tinte toujours, accrochée à mon sac. Pour augmenter ma production sonore dans les sous-bois à ours, je tape sur ma gamelle de métal avec un morceau de bois.

Je passe chaque jour deux ou trois caps rocheux qui, de loin, ressemblent à des paysages d'estampes chinoises, avec cascades de sapins noirs recouvrant des chaos de roches. Les caps ferment l'extrémité d'anses sableuses ou de criques à galets qui annoncent à mes jambes des tortures à venir. Parfois le talus qu'occupe la forêt surplombe le lac d'une dizaine de mètres de haut. J'avance heureux et seul. Heureux car seul. J'ai le lac, il me suffit. Quand j'en ai assez contemplé la surface, je rentre dans le bois. La lumière s'accroche différemment dans le cèdre, le bouleau ou le sapin. Dans la coulée animale que j'emprunte, je repère des excréments tout frais, piquetés de baies rouges que les ours affectionnent.

Parfois, sur une plage de sable humide, il m'arrive de suivre leurs traces pendant trois heures entières : énormes empreintes griffues à côté desquelles mes pas ne laissent qu'une marque légère. Longer une piste à ours (ursodrome ?), c'est ressentir en soi l'étrange impression d'être exactement là où il ne faut pas. Quand je marque une halte, aussi courte soit-elle, je construis un petit feu de bois flotté qui me prémunit des visiteurs. Je l'allume avec de l'écorce de bouleau bien sèche qui brûle comme un rien. Lorsque je bivouaque sur le bord de la grève, je me force à un exercice pénible qui consiste à installer mon sac de vivres au sommet d'un arbre loin de ma tente, pour éviter que les ours, attirés par l'odeur, ne me visitent. Pour peu que ma tente soit dressée à l'orée du bois, je les entends vaguer dans les taillis toute la nuit et leur raffut s'immisce dans mes songes mauvais. Je prends soin de régler le réveil de ma montre pour sortir de ma toile-bivouac toutes les deux heures afin de recharger mon feu de bois, protecteur, rassurant, paternel, dont la flamme préhistorique a été un jour le premier dieu des hommes.

Entre Tompa et Davsha puis, plus au sud, entre Davsha et Bargousine, il n'y a aucun village, il faut donc emporter sa nourriture avec soi, cueillir myrtilles et groseilles et pêcher. Je transporte un jeu d'hameçons, de plombs et de bouchons. Les eaux du lac et de ses rivières sont généreuses : même des gens comme moi, qui suis mauvais pêcheur et n'ai de patience que pour avancer, réussissent à en tirer quelque chose. Ce que je prends, je le prépare à la sibérienne :

Vider le poisson puis le couper en deux tronçons
Sans écailler, ouvrir les morceaux
Les aplanir et les fixer sur une baguette de sapin
(en les transperçant)

*Placer le tout à une trentaine de centimètres
des flammes d'un feu de bois
Laisser cuire vingt minutes, les chairs tournées
vers le feu.
On a alors la vague impression d'obtenir une
sorte de poisson un peu cuit à l'unilatéral.*

J'ai dans mon sac de quoi tenir six jours : fruits secs, soupes déshydratées, saucisses de fromage, viande séchée et gruau d'avoine, cette préparation que les Russes nomment kacha et qu'Ivan Denissovitch, zek du Goulag, héros de Soljenitsyne, accueillait chaque jour par ces mots : « Ah, la bonne kacha ! » Souvent, un Sibérien rencontré dans une cabane de la réserve naturelle complète mes provisions en m'offrant un ou deux kilos de poissons fumés enveloppés dans de vieilles feuilles de la *Pravda* dont le texte me sert à parfaire mon russe pendant que je croque la chair salée.

Je découvre un nouveau sens à ma vie : marcher tout le jour durant, boire l'eau du lac, suivre la course des hérons au ras de sa surface, pêcher un poisson et passer de longues minutes à le préparer puis chercher un endroit où jeter mon bivouac. Et le sens de la nuit c'est de se reposer de cette belle vie-là.

Je n'ai pas entendu les kayaks arriver. Le bruit de leur clapotis me surprend. Quand ils entrent dans mon champ de vision, glissant sur l'eau, pilotés par deux très beaux spécimens de la race humaine, cela fait quarante-huit heures que je n'ai pas rencontré âme qui vive. Les deux étrangers sont blonds et grands. Musclés et la peau couleur miel. La fille et le garçon. Un couple de jeunes dieux grecs dans de beaux animaux humains. Ils ne sont sans doute pas russes car ils sont trop bien équipés et ils ont le visage trop lisse. Ils dévient vers moi et, juste avant d'accoster, avec cette faculté naturelle que les Américains (car ils sont américains) ont de voler (voguer en l'occasion) au secours de l'humanité, ils me lancent :

– *Hello man, do you need something?*

Quand un Américain arrive quelque part, on a toujours l'impression que c'est une équipe de secours. Ils prennent pied sur les galets. On se salue, très heureux de se rencontrer. Lui s'appelle Brandan (un nom de navigateur intrépide! le moine celte irlandais à la barque de cuir!) et elle, Heater. Ils sont californiens et font le tour du Baïkal en pagayant. Ils sont si superbes que, pendant un court instant, j'ai honte de ma dégaine, de mon allure « vagabond de la vieille Europe ». Brandan me dévisage :

– On te regardait marcher sur la plage, tu sais qu'avec ton chapeau et ton bâton, tu me fais penser aux gens qui s'échappaient des goulags. Tu connais *À marche forcée*?

Je suis trop estomaqué pour répondre. Brandan se penche sur son kayak, ouvre une caisse de plastique amarrée sur la coque et en extrait un livre.

– C'est ce que je suis en train de lire en ce moment, dit-il : l'histoire de Slavomir Rawicz, évadé de Sibérie...

Un peu ému, un peu flatté, je leur explique la raison de mon voyage. Ainsi, par la grâce d'une involontaire identification à l'objet de ma quête, voilà que deux kayakistes américains des temps modernes m'ont associé pendant quelques instants aux fugitifs des années sombres...

Brandan, qui ne renonce pas à me porter secours, réitère sa demande :

– *Do you need something?*

– Oui, j'ai perdu ce matin le boulon qui faisait tinter ma clochette anti-ours.

J'ai vite fait de trouver un écrou dans la boîte à outils qu'ils me tendent et qui en contient des dizaines de tailles et de modèles différents. Nous nous quittons. Eux partent vers le nord, sur l'eau. Moi, à pied, vers le sud, avec une nouvelle clochette, heureux bénéficiaire de la légendaire inclination naturelle des Américains à sauver le monde.

Je fais halte un après-midi à la station météo de Kordon. Galina, la babouchka qui garde les lieux et m'offre du poisson salé, s'étonne :

– Vous n'avez même pas une arme contre les ours?

– Il y en a par ici?

– Je vais vous montrer, s'il y en a.

Le mur de planches du cabanon est éventré. Des morceaux de bois pendent autour d'une ouverture béante.

– Voilà. C'était notre séchoir à poissons. C'est l'odeur qui les rend fous.

S'ensuit une longue litanie sur les méfaits des ours. Elle me parle de l'ours qui a démoli une serre à légumes l'année dernière, de l'ours qui vient rôder chaque soir autour du village, de l'ours qu'elle a rencontré hier en allant cueillir des baies. Et toujours le même étonnement quand j'annonce n'en n'avoir toujours pas rencontré.

– Méfiez-vous, jeune homme, car c'est la saison des amours en ce moment et les mâles ne sont pas commodes.

Je lui explique que je n'ai aucune intention de les concurrencer mais il est un fait que, le lendemain, je croise mon premier ours juste avant d'arriver au village de Davsha après une longue journée passée dans une constellation de traces si profuse que la rencontre était inéluctable. Je n'ai que le temps d'apercevoir une masse noire qui s'enfonce dans les taillis vers l'est. Ma clochette a rempli son rôle. Contrairement aux assertions du capitaine rencontré sur Lena, je n'éprouve pas le contrechoc qui devait se traduire selon lui par la débâcle du ventre. Je décide d'ajouter une arme de prévention à mon arsenal : désormais j'avance en parlant tout haut.

Le village de Davsha était autrefois un port animé et qui entendait le rester, mais qui ne pouvait pas prévoir l'effondrement de l'Union soviétique. À la belle époque (URSS), il y avait dans ce hameau début-de-siècle un aéroport et une centaine d'habitants. Aucune communication n'étant possible avec l'arrière-pays, les gens allaient et venaient par les airs ou par le lac. Aujourd'hui il reste vingt irréductibles qui vivent de poissons et de pommes de terre avec femmes et enfants. Les autres ont rejoint Irkoutsk. On m'installe aimablement dans une isba de bois joli avec vue sur le lac. Dehors, tout semble mort dans la lumière blanche. Parfois quand même, une ombre sort d'une maison, traverse la route en herbe qu'aucun véhicule n'a empruntée depuis des décennies et disparaît derrière une palissade. Il y a un musée que je visite sous la conduite d'Helena, ancienne biologiste de la réserve. On y voit des photos de Gerald Durell en visite au Baïkal et un ours empaillé. La bibliothèque est plus intéressante. Il y règne une fraîcheur de cabinet savant. J'y passe un long moment, déchiffrant des titres de livres qui m'excitent prodigieusement : *Encyclopédie des araignées de l'Union soviétique, Tout sur le plancton des lacs de l'URSS, Flore de l'ASSR de Bouriatie...*

Le *banya* [1] auquel je suis convié le soir fait de moi un homme nouveau, un bûcheron prêt à pénétrer dans la grande forêt des verstes à abattre.

Le lendemain, sur la rive marécageuse plantée de troncs calcinés, je dérange à nouveau un ours. Il prend le large, lourdement, chahutant les baliveaux. Au cours de la journée les marais alternent avec de grandes cuvettes asséchées par l'effet d'un drainage naturel. Subsistent des mottes de terre qui font comme des têtes emperruquées. Des canards sauvages décollent à mon approche et le faisceau de leur sillage ouvre des éventails d'écume à la surface du lac. Et toujours des gués incessants. Et toujours des traces d'ours par centaines. Je préfère les remonter que les suivre : personne n'aime avoir la mort juste devant soi. Je traverse le puissant courant de la rivière Sosnov puis essaie d'éviter un marécage en gagnant un talus couvert d'une taïga dense, arthurienne, mais je suis bientôt coincé par des versants trop abrupts et redescends le long de pentes moins raides.

En reprenant pied auprès du lac, je constate qu'il a disparu. Évaporé dans le brouillard. Dissous dans le ciel. Des traces d'ours longent la ligne de ressac, là où le sable est dur, et passent devant une station de la réserve naturelle : six ou sept maisons de bois et un mirador de surveillance. Je suis

1. Version russe du sauna.

accueilli par Nina, une Russe de cinquante ans à la carrure d'athlète. Elle vit seule abandonnée de tous ceux qui habitaient là jadis. Elle veille.

Aujourd'hui, cependant, elle a de la visite : des pêcheurs moscovites dont le navire (un ancien bateau de guerre) mouille à quelques encablures de la rive. Nina m'invite à mettre à mort une bouteille de vodka. Nous portons des toasts. Au lac, à elle, à moi, à la pêche et surtout à la campagne antialcoolique qui a commencé à Irkoutsk depuis quelques semaines. Des tranches de brochet cru servent de zakouski. Puis Nina met une valse de Strauss sur l'électrophone. Entre les caisses de poissons argentés, rangées contre le mur, nous dansons. Elle est heureuse, la vigie du lac. Sur le mur de la datcha, en guise de papier peint : une grande fresque, avec église à bulbes. Les Moscovites nous rejoignent.

– Français, allons pêcher ! propose l'un d'eux.

Nous glissons en barque dans le labyrinthe des marécages. Le brouillard s'est dissipé. Le soleil descend derrière les hautes crêtes de la Bouriatie. L'étrave des barques vient crever leurs reflets à la surface des lagunes. La paix s'abat. Les moustiques aussi. Et la nuit, mollement. De vaporeuses écharpes de brume s'élèvent sur les marais. Ils respirent. Ils sont vivants. Parfois un poisson saute hors de l'eau. Déjà, quatre prises : des brochets avec des becs de crocodile se contorsionnent au fond de la barque. On entend le sifflement des cuillères lancées à toute volée par les Moscovites. Soudain, je hais la pêche. Son apparente placidité, ces heures languides sur des grèves blêmes, cette profession faite par les pêcheurs de leur foi en la beauté du monde et, pour finir : le harponnage sanglant de la gueule d'un gracieux poisson qui rejoignait sa belle dans le repli d'un chenal.

Mais comme j'ai faim, ce qui rend jésuite, je ne récrimine pas, ni ne refuse l'invitation à dîner sur le navire de guerre. À bord : vodka, brochet, vodka, brochet, vodka, brochet et, à la fin, car nous sommes avec de riches Moscovites : brochet, merlot français, brochet, merlot... Je déclare forfait quand les Russes veulent me faire découvrir la vodka au lait. Je rentre en barque, seul avec Nina qui souque d'un muscle ferme vers son village déserté. Elle me dit :

– Trop de monde sur ce lac.

Au petit matin du jour suivant, pour éviter la rive de galets, je grimpe par un sentier vers les montagnes. Je m'élève quatre heures durant, à travers la taïga. Rhododendrons, chaos de pierres moussues, fûts colossaux : une forêt pour les fées. Mais le chemin me déroute vers l'est. J'ai le lac dans le dos. Ce que je prenais pour un sentier de contournement paraît m'emporter vers les cols qui séparent le rivage de la vallée de la Bargousine à quarante kilomètres à l'est de la rive. À l'altitude de 1 000 mètres, très loin du lac, je rebrousse chemin, maudissant le pêcheur local qui était présent sur le bateau, au festin d'hier soir, mais trop soûl pour me donner des indications précises sur la route à suivre. Une journée donc à venir, sur les galets ronds de la rive. L'après-midi, je me heurte à un obstacle : la paroi de roche noire plonge droit dans le lac. Je la contourne par le haut en grimpant cent mètres sur un glissement de terrain couvert de racines puis je longe une sorte de balcon végétal donnant en à-pic sur les eaux du lac. Je fais fuir un ours – mon troisième – dont j'écoute la fracassante retraite, la main sur la goupille de ma fusée. Il était juste au-dessus de moi, à l'endroit où la pente s'incline et rejoint un replat. Je regagne le lac par un pierrier.

Peu après, quatrième rencontre. Celle-là me terrifie. L'ours prend le large en grimpant le talus qui surplombe la plage. Il revient sur ses pas et je l'entends, sans le voir, passer au-dessus de moi, à cinq ou six mètres, et continuer sa course vers le nord. Je tourne le dos et reprends la marche. Mais son poids sur la lèvre du talus provoque un éboulement et j'imagine stupidement pendant une fraction de seconde qu'il déboule de la terrasse pour me charger à revers. Je pousse un hurlement et me retourne le doigt sur la goupille. Mais il n'y a que la rive, vide. Et moi, ridicule.

Les journées suivantes, à cause de l'émotion, je ne cesse plus de frapper ma gamelle. L'air se réchauffe. Le soleil frappe. Je me déshabille. Pendant le jour, je n'ai plus que mon chèche noué autour de la taille et mon chapeau piqué de plumes d'aigle. Chaque pas est pénible. Il faut viser du pied les gros galets. J'avance très lentement, cognant sans relâche mon quart de métal. Et chantant Péguy. Je ne sais pourquoi mais c'est lui qui me vient. Peut-être à cause du lac qui fait comme une plaine. « Nous avons fait semblant d'être un gai pèlerin ! nous n'avançons jamais que d'un pas à la fois ! nous n'avançons jamais que d'un pas à la fois ! » Voilà ce que je gueule en frappant ma gamelle.

Soudain je sais qu'il y a quelqu'un. Un être humain. Mes sens l'ont perçu avant que ma raison ne l'admette. Je fais halte, tapant toujours « Nous avons fait semblant d'être un gai pèlerin ! ». C'est une jeune fille. Blonde aux yeux bleus. Vêtue d'une robe claire, portant sur son dos un chargement inouï, chaussée de bottes. Elle s'est figée comme une statue entre deux rochers et me regarde. Ce qu'elle voit c'est un type nu avec un chapeau à plumes en train de marteler une gamelle pour rythmer ses hurlements. Elle semble terrorisée. J'ai honte de moi puis j'ai honte de sa peur car c'est la première fois de mon existence que je fais naître la peur dans les yeux d'une femme. J'entreprends de la rassurer. J'avance d'un pas. Elle recule. C'est un désastre. Je ne me suis jamais senti aussi désemparé qu'en cet instant. Je donnerais dix ans de vie pour un pantalon. Je lui demande son nom. Elle ne répond pas. J'enlève mon chapeau et me fends d'un grand sourire. Elle tourne la tête et recule vers un rocher plat. Je suis nul. Finalement j'ai une inspiration :

– Il y a encore beaucoup de falaises vers le sud ?

– Beaucoup, je suis passée par le haut...

Elle a parlé, j'ai gagné. Elle me dit en quelques mots qu'elle est peintre, que c'est son chevalet qu'elle transporte sur son dos, qu'elle est partie de Bargousine et remonte la rive vers le nord et que, lorsque le pays lui sied, elle s'assied sur un bloc et peint.

Nous conversons debout, à distance l'un de l'autre. Je suis si heureux de la rencontrer que je lui propose qu'on s'asseye sur la grève.

– Non.

– Je peux vous prendre en photo alors ?

– Non, non !

Je voudrais lui expliquer que Slavomir Rawicz a rencontré lui aussi une jeune fille nommée Kristina, une Polonaise, fugitive, égarée dans la région du Baïkal, et qu'elle est devenue comme la sœur des évadés et qu'ils l'ont emmenée avec eux jusque dans le désert de Gobi où elle a trouvé la mort d'épuisement. Mais elle me prendrait pour un cinglé et je ne dois surtout pas aggraver mon cas. Elle me demande :

– Est-ce que la prochaine rivière est facilement franchissable ?

– Oui, dis-je. Eau à la taille, pas plus.

– Merci. Je dois y aller, au revoir.

À petits pas précis elle contourne le bloc de rochers que j'occupe et s'éloigne tête baissée vers le nord. Je la regarde disparaître, mon apparition du Baïkal. « La jeune fille qui avait peur des hommes. » Moi c'est des ours. Chacun ses loups.

Je me sens soudain seul sous la foutue chaleur de ce soleil de bagne. Je pense à elle. J'en oublie Péguy. Je reprends tristement mon avancée boiteuse. Puis, je bute contre *la* falaise. Elle a mauvaise allure : une paroi grise avec des traînées sombres, plongeant verticalement dans le lac. Elle doit mesurer trente mètres. Dans sa largeur, je n'en vois pas la fin. Je tente le passage par le haut. Je grimpe sur une pente broussailleuse qui se redresse de plus en plus. Au bout d'une heure, je suis arrêté par un ressaut vertical. Je redescends très précautionneusement car une chute ici serait la dernière. Je me résous à l'unique solution : passer à gué en longeant le pied de l'accore. J'entre dans le lac, tout nu, le sac sur la tête. Je prie le ciel qu'il n'y ait pas d'autres jeunes artistes peintres dans les parages. J'ai l'eau aux genoux, puis à la taille, puis au cou. Il me faut une heure et demie pour franchir le kilomètre que la falaise occupe. L'un des plus durs kilomètres de ma vie. Je suis bleu de froid. Le soleil se couche sur ma droite. Des mouettes me survolent. Je ne peux refréner le claquement de mes dents. Parfois, je me perche sur une saillie minuscule de la falaise pour faire revenir le sang dans mes jambes. Je suis comme un oiseau, piégé sur une muraille. Le plus dur est de se remettre à l'eau. Je débouche enfin sur une plage de galets qu'entaille la rivière Malinki Cheremskhana que je guée, tétanisé par le froid. Cette nuit-là, je ne me réchaufferai pas.

Plus loin, plus tard, je retrouve les pêcheurs moscovites. Leur navire de guerre mouille devant une cabane tenue par un couple de Bouriates. J'embarque à la fin de l'après-midi sur le bateau pour traverser vers l'ouest le chenal de cinq kilomètres qui me sépare de la péninsule de Sviatoï-nos, avancée rocheuse sur le lac reliée à la côte par une flèche de sable orientée vers le sud-ouest. La traversée est d'autant plus rapide que deux bouteilles d'horrible Minima à 45 degrés y passent. Les matelots me racontent des histoires de naufrage. Ce n'est donc pas vrai que le Baïkal « ne prend jamais de Russes » (Jules Verne, *Michel Strogoff*).

On me débarque au village de Kourboulik à la tombée du jour. Mon instinct me pousse à ne pas y rester. Dans cette lueur du soir qui appartient à la Sibérie, je traverse un bois, marche sur un sentier accompagné par un chien blanc en mal de tendresse et qui doit sentir en moi un pourvoyeur de caresses. Je passe un petit col sur le dessus d'un cap. Demain je compte atteindre la langue de sable qui raccorde la presqu'île au continent. Je bivouaque sous un pin, devant le lac, avec le chien. Au matin, il n'est plus là.

Les baies se succèdent. Avec parfois, niché au fond, un petit hameau de pêcheurs. J'y croise des Russes à l'air triste. Et je suis de plus en plus convaincu que celui qui côtoie le ressac d'un lac finit par contracter un vague à l'âme. Sa vie alors, comme une algue, se fait bercer passivement par le courant des jours.

À travers la taïga de la presqu'île, je rejoins une piste qui mène au tombolo (langue de terre unissant une île à la côte). Les moustiques attaquent. J'en traîne un voile épais. Ils me suivent par centaines. Je suis contraint de fuir mon propre sillage. À la moindre halte, l'escadron lance l'assaut. Interdit de repos, poussé vers l'avant, la tête protégée sous ma moustiquaire, j'abats ainsi d'une traite une étape de vingt-cinq kilomètres avant que, soudain, la taïga ne s'interrompe, laissant s'ouvrir dans l'horizon l'immense cordon de sable que je convoitais, route naturelle vers le continent. Le vent balaie la plage, le ciel et mes moustiques. Je me lance sur le tombolo.

À ma droite, le lac, gisant, presque mort. À gauche, des marais vert tendre où crient des échassiers. Et, devant moi, la flèche de sable légèrement incurvée par un effet d'optique, tirant le fil de la perspective jusqu'à disparaître. Je marche sur la grève dure. Toutes les trois heures je fais halte pour chauffer mon gruau sur un petit feu de bois flotté et pour croquer un poisson séché. Le sable de l'estran est rose parme. J'abats les foulées, dans un étrange état d'euphorie provoqué sans doute par la grandeur des lieux, la gifle du vent, la tragique lumière que me renvoie le lac et l'immensité anormale – comme surdimensionnée – du ciel. Je pleure, je ris, j'avance, je lance au lac des versets poétiques. Je sens monter en moi l'impassibilité des vagabonds japonais de la tradition zen. Il s'agit pour eux de laisser les sensations leur traverser le corps sans s'y fixer jamais et d'accéder à l'imperméabilité, à l'image du martin-pêcheur qui réussit à plonger dans l'eau et à en ressortir sec. Ainsi seulement peut naître en l'âme l'apaisement final. L'acceptation totale du monde. Non pas une acceptation passive mais impassible. Réconciliée. Peut-être le léger état de sous-alimentation dans laquelle je me trouve depuis quelques jours explique-t-il ces sensations aériennes qui me montent à l'âme, sans crier gare.

À la halte suivante, alors que le gruau cuit, je regarde les plumes de mon bâton vibrer dans le vent. Depuis quelques semaines, je les exhibe comme des drapeaux au bout d'une hampe. Elles célèbrent les vertus que j'aime : il y a la plume de l'aigle pour la rapidité, celle du corbeau pour la mémoire, celle de la mouette pour la gaieté.

Mais le charme de ces heures passées sur le tombolo est rompu par les marais de la Bargousine. Quittant la flèche de sable, j'ai commis l'erreur de couper tout droit vers la rivière. Je peine pendant trois heures à travers une vaste dépression de terrain pour arracher moins de deux kilomètres à la succion du marécage. Seuls les iris sauvages qui coiffent si joliment la crête de mottes herbeuses réussissent à calmer ma rage. Car après avoir touché à la félicité absolue sur le tombolo, voilà qu'ici, dans le bourbier, j'explose de colère. Je me tiens immobile, droit dans la boue, et hurle des insultes ignobles. Contre moi-même, contre le lac, contre les marais du monde entier... Puis je reprends la marche dans l'eau qui m'arrive aux genoux.

Sur la rive gauche de la Bargousine, que je passe en bac, s'étale la ville industrielle du même nom. Je la dépasse pour installer mon bivouac, à la nuit tombée, sur un terrain dégagé que je prends pour une importante clairière. L'aube me cueille le lendemain, couché au milieu de la piste d'aérodrome.

Mes deux derniers jours de progression au bord du lac se coulent dans la brume. Des hérons s'envolent presque sous mes pas, laissant leurs empreintes de runes à quatre branches : ᛉᛉ. Hérons vikings. L'avantage du brouillard est de vous masquer jusqu'au dernier moment au regard des animaux. L'inconvénient c'est si l'animal est un ours.

Équarris sur les rochers, je vois des cadavres de phoques dévorés par les ours et fouaillés par les échassiers. Parfois des sternes m'attaquent ou bien de petits alcidés pépient à mon approche à s'en arracher le gosier. Ils défendent leur nichée. J'admire ces minuscules oiseaux qui ne doutent pas de faire le poids, quelle que soit la taille de l'ennemi. Je voudrais leur dire que je ne leur veux aucun mal. Moins qu'à certains hommes.

Survient un jour une base touristique, construite sur le rivage, du genre de celles qu'on trouvait en Europe de l'Ouest dans les années 1930 avec jeunes filles à chapeau, dames à porte-cigarette et messieurs buvant du vermouth. Sauf que là, c'est de la vodka. Pour le reste, tout y est. L'atmosphère langoureuse. L'allure Virginia Woolf des gens. Et cette odeur de lac un peu scandaleuse. On me convie près du feu de camp. Je bois le thé devant une dizaine de curistes. Certains restent ici à prendre les eaux un mois durant. Je ne peux quitter les yeux de Katia, si accueillants. Elle est mariée à un gros-plein-de-bortsch moscovite. Elle me raccompagne sur la grève. Son mari nous suit de loin comme dans un vaudeville. Nous faisons quelques pas sur la plage, moi avec mes plumes et mon bâton. Elle dans sa robe blanche. Elle me conseille de rencontrer Vladimir.

– C'est un drôle de type. Il vit dans une maison qu'il a construite lui-même, au bord du lac, à deux kilomètres vers le sud, vous ne pouvez pas le manquer.

On ne peut en tout cas pas manquer la croix plantée devant la maison. Vladimir coupe du bois près d'une vaste tente. Il m'accueille comme on accueille toujours l'étranger en Russie, c'est-à-dire en présupposant qu'il est mort de soif et n'a rien mangé depuis dix-neuf jours.

– Je suis né à Bargousine. Mes aïeux ont fondé la ville au XVIIIe siècle. Ils étaient envoyés du Tsar. Ils ont d'abord hiverné ici même. Moi, j'ai entrepris de reconstruire leurs maisons, à l'identique, d'après des gravures que j'ai retrouvées. Je veux qu'ici, en ces rives, revive leur âme. J'ai déjà achevé trois bâtisses, j'ai planté la croix et j'ai détourné une source. Je suis en train de bâtir l'église. Venez...

À l'intérieur, les isbas sont meublées comme au temps des ancêtres. Une femme nous salue et sort de la pièce.

– Ma femme est d'origine polonaise, elle est géographe. Sa famille a été déportée ici sous Staline.

– Ah oui, parce que la Pologne...

– Non. Parce que c'étaient des vieux-croyants. Elle est restée fidèle à sa religion.

– Vous avez entendu parler d'histoires de vieux-croyants qui se sont enfuis des goulags soviétiques ? dis-je.

– Non. Mais je ne m'intéresse pas du tout à ce passé-là. Ce que je veux, c'est qu'un jour un bulbe domine cette plage. J'ai encore beaucoup de travail.

Je photographie le beau visage de Vladimir. Il rejoint dans le panthéon de mon cœur la longue liste des évadés que j'abrite. Lui s'est évadé de la laideur du monde moderne pour trouver refuge dans un univers de cinquante acres qu'il bâtit de ses propres mains.

Je marche, je marche, c'est tout ce que je sais faire. Longeant le lac, bivouaquant sur les plages, reliant les caps entre eux (en russe cap se dit *miss*, ce qui constitue de beaux objectifs de marche). Je dépasse le village de Maximina, je poursuis jusqu'à Garyachi, ancienne station thermale de l'époque stalinienne. On y rencontre encore des curistes rhumatisants, quelques vétérans de la guerre à la poitrine sonnante de médailles et une statue de Lénine non déboulonnée, dont le bras indique magistralement le sud, tendu depuis 1930, ce qui laisse songeur les arthritiques.

À la latitude de la ville d'Oulan-Oudé, capitale du pays bouriate, dont je ne suis plus qu'à deux cent cinquante kilomètres, je quitte le Baïkal en direction de l'est, vers le lac de Kotokel, situé à quelques kilomètres du Baïkal. J'erre une demi-journée dans les marécages et les forêts de la rive nord du Kokotel jusqu'à découvrir un sanatorium presque désaffecté dans lequel une babouchka en blouse blanche me sert une kacha.

– Le sanatorium accueille encore quelques malades, m'explique-t-elle. Mais on ne reçoit plus aucune aide du gouvernement. Aujourd'hui, mon petit Sylvain, vous tombez mal, tous les pensionnaires sont soûls. C'est parce qu'on célèbre la fête de l'eau.

Je longe la rive ouest du petit lac. Une clairière s'ouvre, occupée par les ruines de bâtiments 1930 : vestiges soviétiques. Un homme prend le soleil au bord de l'eau. C'est un Lituanien, à demi fou mais totalement soûl.

– Je suis content que tu sois français. Tu es le second que je rencontre dans ma vie. Toi et moi on n'est pas comme les Russes !

Il m'apprend que l'île de Manar qui occupe le milieu du lac Kokotel recèle les fondations d'un monastère.

– Il y avait vingt-huit moines là-bas. Mais par une nuit de printemps 1918, quelques mois après la révolution, les bolcheviks ont pris pied sur l'île et les ont fusillés.

À son récit, je suis pris de l'irrationnelle envie de me rendre sur l'île. Car c'est exactement le genre d'endroit tragique que j'aime atteindre et où, une fois parvenu, j'aime demeurer quelques instants les yeux fermés avant d'en chercher un autre. Je reviens donc vers le sanatorium en quête d'un bateau. Je rencontre les membres d'une famille de pêcheurs couchés dans des herbes hautes, ivres morts. En toute logique, je devrais immédiatement tourner les talons. Au lieu de quoi, je tends deux dollars à Sacha qui semble le plus solide.

– Vous pouvez m'emmener sur l'île ? Voilà pour l'essence.

– Évidemment.

Nous allons chercher le moteur dans un débarras du sanatorium. La femme, les sœurs et la belle-mère, grasses comme des outres à schnaps, nous accompagnent. Elles sont très ivres. Elles me pelotent en chemin. Je me laisse un peu faire parce que je ne pense qu'à l'île. Je porte les bidons d'essence. Sacha, titubant, charge le moteur sur ses épaules et se coupe l'oreille avec l'hélice, ce qui le fait abondamment saigner. La barque promise est un canot de bois pourri. La mère embarque, mais calcule mal son élan, traverse l'embarcation et plonge à l'eau de l'autre côté. Un morse rendu obèse par la captivité serait plus agile. Il faut pousser longuement la barcasse dans les vasières pour rejoindre les pleines eaux. Opération difficile car la mère a décidé qu'elle serait notre figure de proue et fait lest de son poids terrifiant. La pluie se met à tomber. La fille à pleurer. Le moteur ne part pas. Sacha saigne toujours. L'expédition est un désastre, mais l'île m'appelle pour une raison obscure. Enfin on vogue. Le plat-bord est à dix centimètres de l'eau. On embarque des paquets de lac. L'île de Manar se rapproche lentement. La pluie, toujours. Nous gagnons la pointe sud en longeant la côte. Une végétation puissante dessine un rideau sombre sur la rive, parfois zébré par l'éclat blanc d'un bouleau géant. La mère a mal au cœur. La chemise de Sacha est rouge de sang. Enfin, une croix orthodoxe de quatre mètres de haut plantée au bout d'un cap donne le signal de l'accostage. C'est ici que le chemin se perd. Que des moines reclus dans le silence de leur île ont fait les frais de la folie d'Octobre, subissant l'onde de choc d'une révolution qui ne les concernait pas, née à six mille kilomètres de là. Que des hommes de Dieu ont prié avant que ne les frappent les balles des libérateurs. Nous restons debout dans les herbes sauvages. Des cèdres bleus se balancent sur les pentes de l'île dominant la taïga, cette jungle boréale qui tire sa puissance non de l'humidité mais de la lumière. Même Sacha et les siens sont impressionnés. La grandeur dégrise.

Le retour est pathétique. Nous tombons en panne d'essence à deux kilomètres de la côte. Je souque comme un sourd pour ramener les trois ivrognes qui s'endorment au fond de la barque. Le soir tombe. Une fois débarqué, je marche quatre heures dans la pénombre vers le sud pour me laver de toute cette saleté.

5
En pays bouriate

juillet-août

Au sommet de la montagne de différences qui me séparent de l'évadé, il y a cette liberté absolue que j'ai d'aller frapper à la porte des gens quand il me chante. Le fugitif, lui, se cache non seulement aux yeux de ceux qui le traquent mais, par surcroît, il se méfie de tout regard. La moindre rencontre peut lui être fatale. Pour lui l'enfer, c'est l'œil des autres. C'est ce qui explique le soin que met Rawicz à éviter les zones habitées. Dans le récit, il n'évoque que deux ou trois rencontres involontaires qui font naître chaque fois en lui une mauvaise inquiétude. En Sibérie, autrefois, au temps des tsars, les babouchkas déposaient un pot de lait, un quignon de pain sur le seuil de l'isba dans le cas où passerait un fugitif. Mais quand la fièvre dénonciatrice s'empara de la Russie au XXe siècle, il en alla autrement. La tradition s'inversa : le gouvernement récompensa (jusqu'à deux semaines de salaire moyen en liquide...) toute personne rapportant la preuve qu'il avait éliminé un évadé. Une preuve, ce pouvait être une main, une tête coupée. Les chasseurs de têtes, souvent, entreposaient chez eux plusieurs scalps de fugitifs qu'ils avaient abattus, attendant d'en avoir assez pour faire aux autorités une livraison de gros [1]. « Des considérations économiques prouvent qu'il est (...) moins onéreux d'entretenir un personnel de chasseurs de têtes que de créer une garde omniprésente de type carcéral [2]. » Et c'est ainsi qu'encouragé par le gouvernement, un peuple entier devint suspect à lui-même.

Quand les bulbes et les clochers du monastère de Batourine se dressent devant moi, je ne fais donc pas de détour pour l'éviter. La religieuse qui me reçoit dans l'ombre d'un couloir est de haute taille. Son voile révèle un beau visage russe, inquiétant, fait de douceur christique mais mangé par des yeux que traversent des éclairs de folie. Nous allons tous les deux baiser l'iconostase. Elle parle à voix basse. Elle répond à mes questions sur l'île de Manar et me confirme le massacre. « Qui s'en soucie aujourd'hui ? » dit-elle. Puis elle me convie au réfectoire et me prépare de la kacha et moi, assis, piochant dans la coupelle de groseilles, j'observe ce que j'ai déjà noté chez beaucoup de moines et de moniales : cette jouissance des êtres qui ont atteint les sommets de l'âme à servir trivialement la soupe. Au moment de nous quitter, nous retournons dans l'église pour allumer un cierge. Elle remarque alors la petite croix russe que je porte au cou. Elle s'en saisit et l'ausculte de son œil grossi par les verres d'hypermétrope.

– Tout est en ordre, car Notre-Seigneur a les deux jambes droites, c'est une croix slave. Tu es orthodoxe.

1. Source : Jacques Rossi, *op.cit.*
2. Varlam Chalamov, *Récits de la Kolyma*, Verdier, 2003 (traduction S. Benech, C. Fournier, L. Jurgenson).

– Non. Catholique, ma sœur.

Son œil me fusille. Elle lâche brusquement la croix, me tourne le dos et marmonne :

– Ayez pitié, Seigneur, ayez pitié de lui et montrez-lui le chemin.

Mais le schisme ne suffit pas à nous fâcher et c'est avec beaucoup de douceur qu'elle me bénit et me salue sur les marches de l'église :

– Va, Français, dit-elle.

Les incendies qui se sont déclarés cette année en Sibérie sont d'une violence extrême. La Bouriatie flambe. Oulan-Oudé et Irkoutsk sont sous le brouillard. Des centaines de milliers d'hectares partent en fumée. Je traverse une taïga beaucoup moins dense que celle des bords du Baïkal. Je marche vers Oulan-Oudé, sur des pistes de terre percées par des forestiers. Parfois je traverse une zone calcinée, encore fumante. Il ne faut surtout pas marcher sur le sol noirci sous peine de s'enfoncer dans une poudre de cendre sous laquelle les braises vivent encore.

Halte dans le village de Ziriansk : au *stalov* (nom donné en Russie aux restaurants communautaires), je commande du kvas. Les clients ne me quittent pas des yeux. L'endroit pue le sinistre mais les gens qui le peuplent sont trop soûls pour s'en désespérer. Et puis, c'est bien connu, toute révolte se dissout dans l'alcool. La vodka, en ces contrées, est le meilleur allié des gouverneurs, le couvercle sur le chaudron. Sans lui, que de rébellions naîtraient ! Le contrat social dans les villages kolkhoziens du fin fond des steppes russes, ce sont les « 100 grammes [1] » qu'on se jette à n'importe quelle heure du jour. Ne sait-on pas que les vraies révolutions sont toujours menées

1. En Russie, on compte en grammes la dose de vodka.

par des Staline, des Robespierre ou des Saint-Just : des moines laïques nourris de discipline et d'ascétisme mystique, jamais par des ivrognes ?

Le lendemain après une journée de marche, encore une visite dans une église. Cette fois c'est celle du village de Turuntaevo. Le pope n'est pas là : parti en visite dans un hameau forestier où il bénit des chevaux. Sa femme Jenia et sa fille Aliona me reçoivent. Elles sont toutes deux belles, maigres et racées comme des louves élastiques. Jenia est l'arrière-petite-fille d'un décembriste, Ifim Gouchine, officier supérieur qui, avec quelques autres gradés et nobles de Saint-Pétersbourg, fomenta une révolte en décembre 1825 contre le tsar Nicolas Ier. Ces conjurés-là ne voulaient pas abreuver de sang un quelconque Grand Soir. Ils ne luttaient que pour la Constitution. Ils échouèrent et connurent la foudre de l'Empereur. Ceux qui ne périrent pas dans les oubliettes de la forteresse Pierre-et-Paul furent déportés en Sibérie. Leur arrivée dans les villages de la taïga fit à ces terres déshéritées l'effet d'un coup de fouet. Partout où ils vécurent, les décembristes apportèrent leurs lumières. Ils tombèrent amoureux de leur terrain d'exil. Étant de la race des bâtisseurs, il ne purent s'empêcher de bâtir. Ils se consacrèrent donc au développement de la Sibérie et on reconnaît encore aujourd'hui la trace de leur passage dans l'élégance d'une maison, dans la silhouette d'une église dressée au milieu d'une clairière, dans la présence d'une bibliothèque au milieu d'un hameau. Et parfois, une Sibérienne aux yeux émeraude, comme la Jenia de ce soir, rappelle elle aussi qu'un peu de sang neuf a été transfusé il y a cent quatre-vingts ans dans des forêts perdues au-delà du Baïkal...

Pressé d'arriver à Oulan-Oudé, j'avale soixante-deux kilomètres le lendemain sur une route goudronnée, ne m'accordant que de courtes haltes de vingt minutes toutes les deux heures et demie. Pas plus. Car je sais que le seul moyen de triompher de l'espace immense est d'aller lentement, sans répit, en comptant sur la valeur de la durée plus que sur celle de la vitesse. C'est en effet la patience qui vient à bout de l'horizon. Il n'y a pour s'en convaincre qu'à demander aux nomades, s'ils en sont dépourvus, de patience, ces racleurs de pistes qui n'ont que leur pas pour tracer le sillage de leur transhumance. Marcher « sans hâte ni recours des champs les plus présents vers les champs les plus proches », disait Péguy qui s'y connaissait en longues routes.

Le couvercle de la fumée des incendies retient la chaleur. Je mendie de l'eau aux rares camions qui passent et on m'en jette par la fenêtre comme à un chien, sans s'arrêter. C'est une drôle de sensation que d'aller ramasser par terre l'aumône qu'on vous a faite.

On sait qu'on est arrivé dans le centre d'Oulan-Oudé à cause de « la Tête », celle de Lénine, une sculpture de bronze, posée à dix mètres du sol sur un piédestal. C'est la plus grande du monde soviétique. Quiconque passe au pied songe immanquablement que c'est de cet athanor cérébral qu'a jailli une nouvelle vision de l'homme et du monde. La grosse tête n'a pas été déboulonnée à la chute de l'Union parce que les habitants en sont fiers. Aujourd'hui on se donne rendez-vous en dessous. On se photographie devant. On s'embrasse au bas du piédestal. Vladimir Oulianov ! Pauvre de toi ! Aurais-tu pensé lors des années grandioses que tu deviendrais un jour un vulgaire décor destiné aux badauds ? Je passe deux jours en ville. Les filles y sont plus jolies qu'en rêve. Des nouveaux Russes laids patrouillent dans des bagnoles ridicules. Des enfants qui n'ont jamais connu les komsomols grandissent le nez dans un sac en plastique plein de colle. Les putains tapinent sous l'auvent de l'hôtel Bouriatie. Et de gros fonctionnaires à chemise blanche, heureux d'être arrivés là où ils sont, lorgnent les croupes qu'ils rêvent de salir.

Moi, c'est Vatslav qui m'intéresse. Je le rencontre au centre culturel polonais qu'il dirige, rue Gagarine. Il me reçoit dans un bureau où s'étale l'aigle blanc et rouge de la vieille Pologne. Il a soixante-dix-huit ans, dont soixante-dix de souvenirs, un visage taillé à la gouge et une broche avec l'aigle sur le revers de la veste. Il a vu l'émission de télévision que j'ai enregistrée la veille dans les studios d'Oulan-Oudé. Nous parlons longuement de l'affaire Rawicz.

– Cela vous semble crédible ?

– S'il est polonais, rien n'est impossible ! dit-il. Je n'ai jamais entendu parler de cette évasion mais je connais beaucoup d'autres histoires qui sont parfaitement vraies. Mes propres grands-parents ont été déportés depuis Odessa jusqu'en Sibérie. Le vieux s'est évadé, seul, en hiver, à travers le Baïkal gelé vers Irkoutsk où il a pu se cacher dans le ghetto polonais, puis, grâce à des passeurs chinois, il a rejoint Harbin et la Chine et là, on perd sa trace. J'ai été élevé par un père adoptif qui, lui, fut envoyé dix ans dans l'enfer de la Kolyma, de 1939 à 1949. Les années terribles...

– Qu'est-ce qu'il avait fait ?

– C'est drôle que vous continuiez à poser cette question alors que vous connaissez un peu l'histoire des purges. Rien, évidemment. Moi, à cette époque je travaillais avec des géodésiens du MVD qui dressaient la carte d'état-major de la Iakoutie.

Pris d'un pressentiment, je montre à Vatslav les cartes au 1/200 000 que j'ai dénichées à Iakoutsk et que j'utilise depuis mon départ. Elles portent l'estampille : « document secret ». Vatslav les ausculte.

– Oui, c'est ça. C'est nous qui avons levé cette couverture. Ensuite, j'ai été emprisonné à la Kolyma. J'y ai vécu en compagnie d'un ancien capitaine de l'Armée rouge. Il s'était évadé d'un camp et avait survécu quatre ans dans la taïga avec une hache et un couteau. Mais il s'est rendu au NKVD car il commençait à entendre des voix et à avoir des hallucinations et il préférait être enfermé que devenir fou. C'est un point de vue. Je suis arrivé à la Kolyma en 1946. Ensuite, c'est la nuit. Ma longue nuit.

La veille de quitter la ville, j'accepte la cérémonie de bénédiction à laquelle me convie le chaman Anatoli. J'y vois une saine précaution. Car, dans quelques semaines, la steppe mongole va s'ouvrir à moi, terre des dieux où le commerce avec le Ciel ne peut pas faire de mal. J'ai rencontré Anatoli grâce à Corinne et Carlo, jeunes Helvètes installés à Oulan-Oudé où ils travaillent. Le chaman qui mesure deux mètres arbore la coiffure des scalpeurs iroquois et des archers gengiskhanides : la tête est rasée sur le devant, mais une natte de cheveux très longs prend racine à l'arrière du crâne.

Nous commençons par dîner de chachliks. Il me conseille de ne pas couper la viande avec un couteau mais de la manger à la main.

– Comme les musulmans ? dis-je.

– Non, eux, c'est le Prophète qui le leur commande. Ils imitent le mode de vie bédouin ; nous, les Bouriates, c'est pour ne pas rompre l'énergie de la chair.

Puis, dans son petit appartement soviétoïde, au fond d'une cité de banlieue, il appelle les esprits. J'assiste à la liturgie, assis dans un canapé. La pièce ressemble au cabinet de réunion d'un cénacle occulte. S'y amoncellent des collections d'horloges, des cloches de cuivre, des instruments de culte tibétains, des coupelles emplies de cristaux et, sur les murs, côtoyant les mandalas magiques, s'étalent les portraits de Napoléon, de Nicolas Ier et du Christ, figures de proue qui ont traversé la nuit de l'Histoire. Anatoli, maître de ces lieux troglodytiques, a revêtu une cape de cuir sous laquelle, torse nu, il porte *dorges* [1] tantriques et croix rituelles. Il s'adresse aux vapeurs d'encens qui sont la pensée des dieux, me verse de la vodka sur le front, en asperge les points cardinaux, invoque les forces et finalement m'annonce que je peux partir sans crainte.

Le soir même, on m'attaque dans un terrain vague alors que je reviens du centre culturel polonais. La nuit est tombée et je marche vers l'appartement des confédérés helvétiques – mes hôtes. Deux ombres dont je ne perçois la présence qu'au dernier instant me fondent dans le dos. Je n'ai que le temps de me retourner et de parer le coup que le premier me porte au larynx. Mon chèche amortit le second coup. J'en rends un au jugé. Je tombe à terre, à moitié suffoqué, et j'entends les pas d'un troisième homme qui

1. Instruments rituels bouddhistes.

court vers moi. Je ne sais comment je réussis à me dégager et à m'enfuir. Les trois ombres me prennent en chasse. J'ai toujours eu horreur des bagarres qui avilissent celui qui cogne. Étrangement, un seul sentiment monte en moi et je le sens se répandre dans mes veines et envahir chacune de mes cellules : la fureur. Ma bouche hurle des insultes à ces trois ordures qui s'accrochent à mes trousses comme des chiens aux basques du gibier. Mais s'ils ont l'avantage du nombre, il leur manque une information cruciale : voilà plus de deux mois que je progresse chaque jour à marche forcée sur des sentes difficiles. Mon entraînement ne leur laisse aucune chance ! Ils perdent d'ailleurs progressivement du terrain. Je les sème pour de bon quand nous parvenons à la bordure de l'esplanade que protège une herse assez haute que je grimpe et enjambe d'un seul élan comme si la hargne donnait des ailes. Je m'écorche les mains en tombant sur la route de l'autre côté, devant le capot d'une voiture qui freine face à moi. Le conducteur m'invite à monter. Nous démarrons et j'ai le temps d'apercevoir les sales gueules des trois jeunes Bouriates qui n'ont même pas franchi la grille. Et c'est dans la conversation avec mon chauffeur improvisé que j'apprends un mot russe dont il me dit qu'il court les rues des faubourgs post-soviétiques : *houligan* (se prononce « khouligâne »).

La suite est plus heureuse : je quitte la ville le lendemain par un pont porté au-dessus des eaux de la Selenga. La rivière va dicter la direction de mes pas pendant les prochains jours. Je renoue ainsi avec la « marche géographique », le long d'axes imposés par la nature. Ce sont les meilleures routes à suivre : elles ne mentent jamais. La Selenga prend ses sources en Mongolie pour se jeter dans le Baïkal. Il suffit donc de la longer – et c'est ce que firent beaucoup d'évadés – pour atteindre le royaume des steppes. Ainsi de l'Allemand qui s'évada après guerre des terrifiantes mines de plomb du cap Dejnev (devant le détroit de Béring, plus au nord encore que la Kolyma !) et qui fit d'abord route vers le sud-ouest pour tenter de traverser la frontière mongole à la hauteur de Kiakhta avant de trouver un moyen de gagner l'Iran en chemin de fer après trois ans de cavale [1].

Non loin d'Oulan-Oudé, je croise des églises de campagne. Les bulbes font des gouttes d'or sur la croûte de la campagne, pelée par la sécheresse. Leur forme me plonge dans des abîmes. J'émets intérieurement des hypothèses sur l'origine du bulbe. Sujet fondamental. Comment tel galbe a-t-il pu sortir d'un cerveau humain, fût-il russe ? Serait-ce la figuration d'une larme du ciel tombée sur une tour, ou la copie de la courbe de la flamme des cierges qui brûlent dans la nef, ou la reproduction de l'oignon dont font tant de cas les Russes ?

Mes cartes de 1973 (je ne dispose pour la Bouriatie du Sud que d'une étrange couverture levée par les services américains au 1/380 000) indiquent des marais que le ciel a eu la bonne grâce d'assécher au cours des dernières années. Je progresse donc rapidement vers le sud sur la carapace de lœss durci. Je navigue vers le cap 170°. Un vent violent m'enivre et souffle des bouffées chaudes que j'aspire à pleine

1. Un écrivain allemand du nom de Josef Martin Bauer a relaté l'histoire véridique de cette évasion dans *Aussi loin que mes pas me portent* dont les éditions Phébus ont publié une nouvelle traduction de Ph. Légionnet en 2004. Dans le récit, le fugitif est présenté sous le pseudonyme de Clemens Forell.

gorge. Le soir, après trente kilomètres, je parviens en vue de Datsan, principal monastère bouddhiste de Bouriatie où un lama en robe m'offre une cellule. Après les bulbes : des pagodes sur la terre sibérienne. Signe avant-coureur des mondes asiatico-bouddhiques. J'aime ces ambassadeurs (un panneau dans une autre langue, un faciès nouveau, un arbre inconnu) qui, par petites touches, indiquent au pèlerin que de nouvelles aires approchent, que les jours passent, que les kilomètres succombent et que, au bout du compte, à force de patience, le but qui semblait inaccessible finira par venir.

Mon voisin de cellule (monacale), Igor, est un écrivain moscovite (membre de la mythique Union des écrivains russes) qui prépare un livre sur la répression antireligieuse de 1934 en URSS. Autour d'une assiette de concombres, il m'explique que beaucoup de Bouriates ont fui les oukases staliniens, trouvant refuge en Mongolie, à quelques jours de marche d'ici jusqu'à ce que, en 1945, l'interdiction de pratiquer le culte soit partiellement levée, incitant des moines à revenir. Mais beaucoup s'étaient déjà installés dans des villages de Chine que le gouvernement de Pékin leur avait alloués. J'écoute à peine Igor parce que je suis fasciné par ses yeux de chouette et sa chevelure de laborantin qui viendrait d'essuyer un violent échec de manipulation chimique. Et puis le vent m'a si bien battu la tête que je n'ai envie d'entendre rien d'autre que la douce nuit qui marche.

Les jours sont doux mais cuisants au bord de la Selenga. Doux parce que le relief s'apaise en collines dont le vent caresse le toupet et dont la rivière lave gentiment le socle. Cuisants parce que le soleil est aussi chaud ici que l'hiver est glacial. Les températures dépassent 42 °C et la taïga, restée en arrière, plus au nord, ne dispense plus son ombre. À Oulan-Oudé, on passe un seuil bioclimatique où disparaissent les influences humides balkaïques. Au lieu des forêts de borée, c'est ici le royaume des steppes horriblement désolées. Un relief de Normandie sous un ciel sahélien (c'est-à-dire, finalement, ce que prévoient les climatologues pour le monde tempéré dans les années qui viennent). Parfois, quand même, je trouve répit dans un bois de pins, beaucoup plus clairsemé que dans le nord. Si je réussis à abattre quarante-cinq à cinquante kilomètres quotidiens, c'est grâce aux eaux fraîches de la Selenga dans lesquelles je plonge pour éteindre la brûlure des fournaises.

Après le bain, sur les grèves sableuses, survolées par les oies sauvages, je lis quelques pages de mon anthologie poétique. Je me félicite de l'avoir emportée. J'ai longuement réfléchi au problème de la lecture en voyage, c'est-à-dire de la nourriture de l'âme pendant les longs mois de progression sauvage. Pour le corps, ce n'est pas difficile de faire ses adieux à l'anesthésie du confort et aux bienfaits de la civilisation. Le mien s'habitue vite. Il n'est pas long à oublier que l'eau d'un bain a pu être chaude et la ration copieuse. L'ennui, c'est pour l'âme... Elle est plus exigeante. Elle supporte moins bien le jeûne. Je sais qu'il est des contemplatifs qui peuvent se satisfaire pendant des années du même paysage découpé dans l'encadrement de leur grotte et que « l'ermite du désert n'a pas à craindre l'ennui plus que l'homme du monde » (Keyserling). Mais je ne suis pas de ceux-là et, souvent, dans la solitude de la chevauchée ou de la marche, loin des villes, hors des routes, je me prends à rêver d'une bibliothèque. Rêve impossible que celui de voyager avec ses livres : le poids est l'ennemi du voyageur moderne et les temps ne sont plus où une armée de coolies pouvait transporter quelques malles d'ouvrages (ainsi qu'un gramophone, car, sous les magnolias, il est plus agréable de lire Swift en écoutant un air cajun). La solution pourrait être d'emporter dans son paquetage un livre inépuisable. Quand j'ai fait le tour du monde à vélo, je suis parti avec des textes religieux (Bible, Coran...). Ce sont des textes inépuisables, mais ils m'ont épuisé. Durant ma longue marche dans l'Himalaya j'avais des romans qui se mangent (Melville, Wells, Hemingway) : je les ai dévorés en trois jours à la lumière des bougies au beurre de yack, et mon âme est restée sur sa faim pendant les sept mois restants. Au fond des steppes de l'Asie centrale, en compagnie de Priscilla Telmon, j'avais serré dans les fontes de nos chevaux d'anciens récits de voyage (Rubrouck, Marco Polo, Flemming), mais j'ai trouvé trop cruel de confronter la description du passé à la triste réalité d'aujourd'hui, et trop douloureux d'entrer dans Samarcande par une banlieue industrielle post-soviétique en lisant sous la plume d'Ella Maillart l'évocation d'« une ville bleue, élancée vers le ciel ».

La solution (il m'a fallu dix ans pour parvenir à l'évidence) est dans la poésie. Dire les vers en marchant. Rythmer la récitation. Accorder la stance à la cadence nomade : Péguy dans la steppe, Apollinaire en haute altitude, Shakespeare sous l'orage. Avoir sur soi une anthologie poétique, trois cents grammes de papier : c'est idéal, inépuisable. En outre, le soir, seul au bivouac, dans la nuit, on peut arracher la page qui a nourri l'âme tout le jour durant, et construire avec elle un gentil petit feu auquel on récite le poème appris.

Pays de collines. Des stupas bouddhistes coiffent les éminences. Découpés dans les ciels d'orage, on pourrait les prendre pour des phares chargés de guider une horde perdue. Conversation au pied de l'un d'eux un soir de tempête avec un lama pérégrinant vers le Datsan lamaïste.

– Vous êtes bouddhiste ? me demande-t-il.

– Non, dis-je.

– Vous portez pourtant le cordon rouge du Bouddha.

Je lui explique qu'il ne s'agit pas du Bouddha mais d'une boussole qui ne quitte pas mon cou.

– C'est pour garder le cap ! dis-je.

– Mais le Bouddha aussi montre la voie, vous savez...

D'Oulan-Oudé, je marche dix jours entiers avant de rejoindre la frontière mongole. Je me nourris peu parce que la chaleur ne laisse de place qu'à la soif. Des sauterelles craquettent par milliers, rappelant qu'elles sont une inépuisable réserve de protéines. Je rêve d'ailleurs du jour où l'humanité ne se nourrira que d'insectes d'élevage, laissant tranquilles vaches et cochons. Je tiens le cap au sud, à travers des étendues désertes. Je rejoins des villages oubliés, je traverse parfois des kolkhozes abandonnés. Les incendies font dans l'horizon des piliers de fumée qui portent des ciels d'apocalypse. Parfois des vents violents rabattent un brasier vers moi. Un jour que je peine à franchir une plaine couverte de roselières, je surveille une colonne de feu qui se déporte dangereusement. Les roseaux flamberaient comme de l'étoupe si les flammes venaient à les atteindre. Mais je gagne la ligne du Transsibérien avant que le contact ne s'établisse avec l'incendie. La voie dessine une balafre d'acier dans les terres sauvages. Une borne indique 5 511 km depuis Moscou. J'enjambe la cicatrice luisante des rails en pensant à Rawicz qui « redoutait la traversée de la voie du Transsibérien plus que le franchissement de la frontière ». S'il l'avait passée en ce lieu précis, il n'aurait eu nulle crainte ; le train navigue ici au milieu d'une steppe vide.

Je consacre les trois jours suivants à remonter le cours médian de la Selenga. L'eau coule fluidement, comme accablée de chaleur elle aussi. Une mince bande de terrain sableux est praticable entre la rivière et les falaises qui la bordent. Mais il arrive que la paroi rocheuse s'affaisse et laisse place à de larges terrasses jaunies par la sécheresse : paysage antique pour pâtre crétois ou pour philosophe grec. Au matin du deuxième jour la vallée s'ouvre en un vaste lit marécageux de huit à neuf kilomètres de large. Mes provisions sont épuisées. À l'aide de mes hameçons, je tire de l'eau trois petits poissons à la chair vaseuse que j'accompagne de groseilles juteuses. Je marche sur une levée naturelle qui surplombe le marais. Il s'y décline toutes les teintes de la grande santé du vivant : le vert, le rouge, le mauve des herbes et des plantes humides. J'ai des fantasmes d'herbivore. Je fends la prairie avec de l'herbe jusqu'à la taille. C'est toujours l'axe austral qui me gouverne : je tiens le cap 190° . Les oies font dans le ciel le V de la victoire contre l'apesanteur. Par-delà les marais, le moutonnement des collines reprend. Il y a dans le paysage, par un triple effet de l'immensité du ciel, de la pureté de l'air et de l'uniformité du socle, une illusion de basculement du panorama vers le lointain. En Sibérie, le paysage aussi s'échappe par ses lignes de fuite. Un front d'orage remonte vers le nord et laisse dans sa traîne un arc-en-ciel qui enjambe la rivière et encadre très précisément la course d'une troupe de chevaux sauvages, ivres d'eux-mêmes. Je les chasse devant mes pas, vers le sud.

Depuis ma nuit dans le monastère bouddhiste, je n'ai fait que bivouaquer. Mais un soir, de l'autre rive, un pêcheur me hèle pour m'offrir le gîte dans son isba. Il vient me prendre en barque. Il souque ferme et je regarde sur la peau de son torse nu les tatouages d'églises à bulbes rouler sous ses muscles. Il y en a des grandes et des petites. Sur toute la largeur du dos : Basile le Bienheureux.

– Tu regardes mes églises, hein ?

– *Da*, dis-je.

– C'est en prison que je les ai fait faire. Elles existent toutes quelque part sur la terre russe ; Iaroslav, Novgorod, Zagorsk... J'ai eu le temps, tu penses... dix-huit ans de trou !

Je ne lui demande pas pourquoi car il ne m'a pas l'air d'avoir été un détenu politique. Or il y a chez les droit commun un type extrêmement précis de délit dont je ne peux pas supporter l'évocation.

– En sortant j'ai choisi la vie dans la taïga. Je reste toute l'année à pêcher avec Vera, ma femme. Quand il y a assez de poissons, elle les met sur son dos et elle va les vendre au premier village à huit heures de marche en amont. On vit mieux ici qu'en ville. C'est dur, mais on est libre. À Oulan-Oudé, je me sens revenu au trou.

La cabane est confortable : deux lits, un poêle, des armes de chasse, des filets de pêche. Devant : la Selenga, molle. Derrière : la forêt claire, vierge de tout sous-bois, sans la confusion des taillis, illustration de la forêt bouriate. Autour d'une table dressée de poissons fumés, salés, séchés, de pots remplis de cornichons et de coupelles pleines de groseilles et de myrtilles, nous trinquons à notre rencontre. Je les interroge sur la Russie. Sacha crache par terre.

– La démocratie nous a apporté deux choses : la pornographie et la publicité pour les rasoirs électriques.

– Mais pas l'électricité, dit Vera.

Le gong d'un orage cogne jusqu'à l'aube. Je couche sur un des deux lits. Je sens des insectes noctambules galoper sur mon corps comme sur le pont de l'arche de Noé le jour de l'embarquement des invertébrés.

À l'aube, Sacha me sert du *tchifir*, le breuvage du Goulag : un concentré de thé si fort qu'à peine avalé le cœur s'emballe.

– Tu marches trois kilomètres vers l'amont. C'est là.

Sacha m'a indiqué l'existence d'une ruine d'église posée au milieu d'une steppe déserte, sur la rive de la Selenga. Elle apparaît dans le lointain avec ses bulbes et son clocher, et ses murs blancs, béants par endroits. Elle n'a plus que les oiseaux pour fidèles. Des freux à livrée bleu acier, des faucons crécerelle, des grèbes huppés. Alentour, une plaine pelée sur laquelle l'église veille, vigie abandonnée des bords du fleuve par lequel personne ne viendra plus jamais. Je demeure longtemps sous la voûte fraîche avant de repartir, heureux d'avoir découvert un de ces lieux où l'on sent l'âme qui monte à la peau.

Les décembristes. Encore eux. Dès que la beauté se dresse dans l'immensité sibérienne, c'est que leur ombre rôde. Cette petite cathédrale, ils l'ont érigée pendant leur exil, choisissant un terrain dont la situation même est une preuve d'intelligence et de goût. Je pense souvent à cette révolte en regrettant qu'elle n'ait pas été mère des autres révolutions. Car son dénouement est remarquable. Les insurgés de décembre 1825 avaient ceci de noble qu'ils rêvaient de bâtir un avenir meilleur plutôt que de raser la table du passé. La déportation leur a paradoxalement offert l'occasion d'expérimenter sur la terre de l'exil cette société éclairée, généreusement élitiste, à laquelle ils aspiraient. Ils ont reçu dans le malheur la possibilité d'accomplir leur rêve.

Les derniers jours passés avant d'atteindre la frontière mongole sont accablants de chaleur et de beauté mêlées. En coupant par les collines, je relie un à un les méandres éployés au fond de l'auge de la Selenga. Sacha m'a vendu du poisson pour trois jours. Le long de la rivière prospère une étroite bande de vie : roseaux, herbes hautes, colonies d'oiseaux fous... C'est là que je pêche ou que je dors aux heures chaudes de l'après-midi où le soleil mortifère porte à 45 °C la température ambiante. J'ai l'impression que la chaleur accroît le sentiment de solitude. De bains furtifs en étapes forcées j'abats cinquante kilomètres quotidiens. Chaque soir me cueille dans un état de totale hébétude.

J'enlève en deux jours les cent derniers kilomètres le long de la ligne de train qui file, plein sud, vers la Mongolie et dont je rejoins le tracé à la hauteur du village de Selengiva. Je marche en butant sur les étais des rails qui ne sont pas disposés à l'empan du pas humain. Je dors au pied des ballasts et le fracas des trains fusant vers Pékin me tire en sursaut de mes siestes fréquentes. Je rencontre un jour un vieux-croyant qui fauche l'herbe au bord de la voie. « Pour mes bêtes », me dit-il avant de m'expliquer qu'il vit tout seul dans une cabane depuis que ses huit enfants et sa femme sont morts. « Les vaches, conclut-il, ça meurt moins. » Je ne m'attarde pas dans le village de Ziabchine où je reçois en guise de souvenir une grêle de pierres lapidée par une bordée d'adolescents pouilleux. Je suis atteint à la nuque et m'enfuis comme un chien battu. Je rencontre trois ouvriers ferroviaires qui mettent à mort une bouteille de vodka à l'ombre de leur draisine. Une fois, un vent furieux m'empêche d'entendre le train qui pointe derrière mon dos. Le vagissement de la sirène me glace le sang et déjà la locomotive fuse quand je roule sur le talus d'herbes hautes. Au crépuscule, gisant dans mon bivouac, couché à l'heure où s'endorment les bêtes, je me livre à ce rituel que tous les vagabonds du monde tiennent pour le bonheur suprême : déployer lentement les jambes qui les ont portés tout le jour. Et les tenir droites, tendues, immobiles, jusqu'à ce que la lumière de l'aurore leur commande de reprendre l'effort.

Le brouillard se pose sur les marais de la Selenga, coule en ses chenaux et, pour finir, se pose sur la région entière comme le gros cul d'un géant qui aurait fait halte en campagne. De ne rien pouvoir distinguer à plus de vingt mètres, il me coûtera une journée d'errance dans une dépression de terrain plantée d'herbes coupantes. Le GPS permet de conserver le cap, mais n'indique pas les bras morts et les chenaux que mes cartes ignorent et qui me barrent le passage. Quand le voile se soulève, j'aperçois sur une colline les paraboles d'une station d'écoute et une herse d'antennes. Je ne dois pas être très éloigné de la frontière. Je rejoins une piste qui n'est pas mentionnée sur mes cartes. Je sais déjà que la jeep kaki qui débouche soudainement d'un large sentier menant à la station ne m'apporte rien de bon. Je paierai d'une nuit entière d'interrogatoire, ainsi que de la fouille complète de mon sac, et de toute une panoplie de méthodes d'intimidation (sans aucune violence cependant) l'affront d'avoir approché une base militaire. Mon GPS, mes cartes d'aviation, mes cartes militaires, ma boussole électronique, mon compas de visée, mon altimètre surexcitent les soldats. Ils croient peut-être tenir enfin *l'Espion* auquel des années de culture du secret les ont familiarisés. Mais les articles de journaux en russe qui racontent mon histoire et les lettres de recommandation du ministère de la Culture iakoute contrebalancent leurs suspicions. Je repars libre dans le jour nouveau. Le *palkovnik* [1] m'a même offert à l'aube de prendre un *banya*, qui me transforme en *homme nouveau* mieux que ne l'aurait fait n'importe quelle séance de dialectique révolutionnaire.

Succession de collines plantées de pins. Au sommet de chacune, la vue sur la suivante. Pas d'espoir que cesse leur moutonnement. Je vais sans crainte des ours car on me les a dit très rares en ces parages. Et soudain, voilà le signe que j'attendais : une double ligne de barbelés séparée par un couloir déboisé de dix mètres de large. Je suis arrivé au bout de la terre russe. En face, à moins de quinze mètres,

1. Colonel, en russe.

inaccessible : la Mongolie. Je vis en ces quelques secondes l'un de ces bonheurs qui justifient des mois de voyage : celui d'avoir atteint les portes d'un royaume, le bord des *falaises de marbre*, les rives des *îles de corail...*

Légèrement en retrait des barbelés, sous le couvert de la forêt, je longe la ligne vers l'est. Tous les cinq cents mètres un mirador est planté – côté russe. Je songe aux efforts déployés pour faire épouser à cette barrière chaque croupe du terrain. Les autorités soviétiques consacraient beaucoup d'efforts à prouver à leur peuple qu'il habitait au paradis, on comprend qu'elles aient tenu à clôturer le jardin d'Éden au cas où les occupants auraient eu le désir d'aller voir ce qui se passait de l'autre côté – en enfer. La frontière a été matérialisée sous Brejnev par une première ligne de chevaux de frise. Puis, à la chute de l'Union en 1991, quand la Mongolie est sortie du giron de l'URSS, on a dressé le second rideau de barbelés et défriché la bande de no man's land. Pour toute frontière, Rawciz, en 1941, ne relève qu'un « poteau rouge de trois mètres de haut portant une plaque de métal ronde frappée de l'emblème soviétique – gerbe de blé, étoile, faucille et marteau – au-dessus d'une inscription en initiales cyrilliques ». Avec le flegme qui est le propre des grands voyageurs, le Polonais et ses compagnons se félicitèrent sobrement d'être arrivés jusque-là et poursuivirent leur avancée vers le sud.

En pleine forêt, j'abats trente kilomètres vers l'est, le long des fils de fer jusqu'à la ville de

Kiakhta, point de passage douanier officiel entre la Russie et la Mongolie. Peu avant d'entrer dans la ville, je cache mon poignard sous les racines d'un arbre : un bûcheron l'y découvrira peut-être un jour. Je ne veux en tout cas pas prendre le risque de me faire condamner à six mois de prison pour port d'arme blanche ainsi que le prévoit la loi russe. C'est à Khiakhta que passe la route transsibérienne menant à Oulan-Bator. Les étrangers y ont le droit de sortir de Russie vers la Mongolie. De l'antique bourgade commerciale qui était une étape majeure sur « la route du thé », il reste un joli centre-ville aux maisons de bois. Quelques clochers font de l'ombre à des églises désertées. On croise un pope, des filles en minijupes, des Chinois avec bagues en or serties dans la graisse de leurs doigts, des Mongols secs comme des triques cavalières : tout ce peuple habituel des zones franches où règne toujours un affolement un peu fébrile dû au fait que personne ne sait très bien où il habite exactement.

Le poste frontalier est flambant neuf. Nous sommes ici à la lisière d'un monde. À une poignée de kilomètres plus au sud, la taïga rend en effet les armes. La frontière russo-mongole longe l'orée des bois. Le rideau de bouleaux et de pins s'ouvre brutalement sur les grandes steppes : en Eurasie la géographie ne s'embarrasse pas de transitions. Ici, pas de nuances. Les frontières entre les écosystèmes sont comme les caractères des hommes et les coups de l'Histoire : tranchés.

Pendant qu'une douanière fouille mon sac, je regarde le ciel et m'aperçois qu'il n'est pas le même. C'est qu'à présent il est comme un miroir posé sur une table. Il recouvre cette grande prairie mongole, aussi immense que lui.

« La terre est dure, le ciel est loin », dit la maxime des cavaliers de l'Asie centrale. Un factionnaire mongol tamponne mon visa. Il est temps à présent de vérifier l'adage.

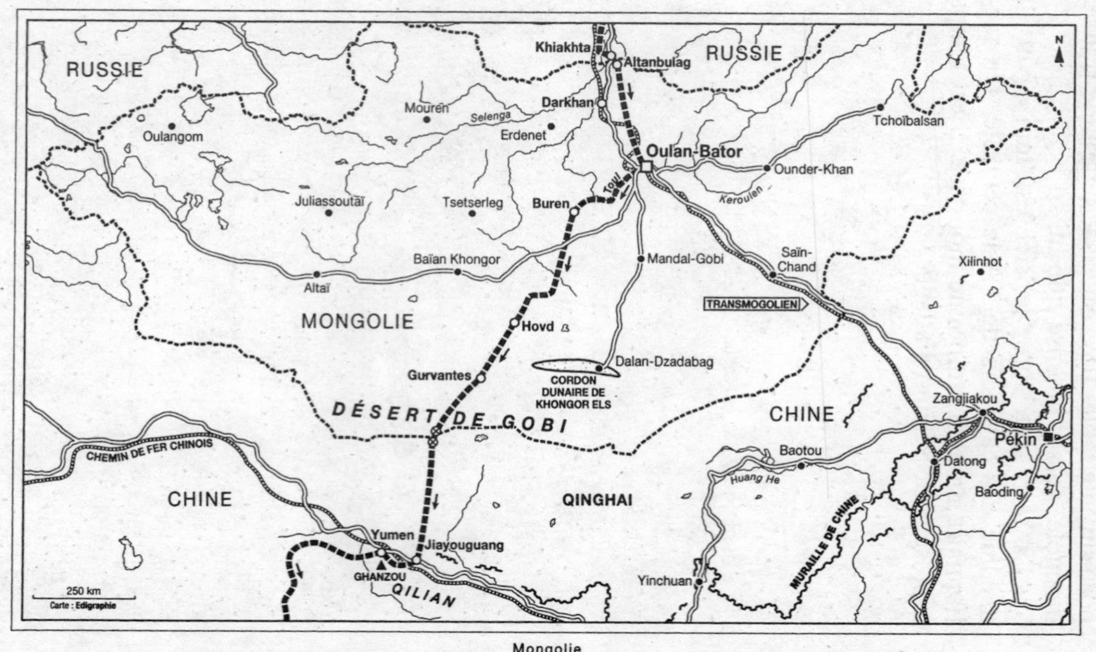
N
RUSSIE
Khiakhta
Altanbulag
RUSSIE
Mourên
Selenga
Darkhan
Erdenet
Oulangom
Oulan-Bator
Tchoïbalsan
Ounder-Khan
Keroulen
Toul
Juliassoutaï
Tsetserleg
Buren
Baïan Khongor
Mandal-Gobi
Saïn-Chand
Xilinhot
Altaï
TRANSMOGOLIEN
MONGOLIE
Hovd
Dalan-Dzadabag
Gurvantes
CORDON DUNAIRE DE KHONGOR ELS
DÉSERT DE GOBI
CHINE
Zangjiakou
Pékin
CHEMIN DE FER CHINOIS
Baotou
Datong
Huang He
Baoding
CHINE
QINGHAI
Yumen
Jiayouguang
MURAILLE DE CHINE
GHANZOU
Yinchuan
QILIAN
250 km
Carte : Edigraphie
Mongolie

6
Vers Oulan-Bator

août

Il me faut un cheval.

J'erre dans Altanbulag, de l'autre côté de la frontière, en quête d'une bonne affaire. Pas question d'aller par la steppe en marchant. La terre des cavaliers ne se foule pas aux pieds. Si les évadés du goulag n'avaient d'autre choix que de s'engager à marche forcée dans le vertige des steppes, je n'ai, moi, aucune raison de les imiter. Je mesurerai aussi bien à cheval qu'à pied l'infinitude des prairies mongoles. En outre quelque chose qui tient à la fois du souci d'élégance et de l'intuition me convainc qu'on ne peut aborder les horizons mongols que la botte à l'étrier, et la bride à la main. Tant de galops ont résonné ici depuis la nuit des âges qu'il serait malvenu de troubler leurs échos en battant du pied la mesure de la marche. En selle donc, mais d'abord, un cheval.

Un cavalier d'Altanbulag m'assure que je peux en acheter au village de Sukhbator, à vingt-cinq kilomètres à l'ouest. Il me prête une monture et m'y accompagne. Je lance un dernier regard au clocher de Kiakhta, cette manifestation érectile du vieux monothéisme européen, dressée à l'orée du monde nomade. Les Mongols eux, fils des plaines, fidèles à l'horizontalité, ne savent élever rien d'autre vers le ciel que le filet de fumée qui s'échappe de l'ouverture de leur yourte.

Nous enlevons les vingt-cinq kilomètres à la mongole, c'est-à-dire d'une traite.

Le village de Sukhbator est une bourgade soviétique abritant quelques *kombinat* à bout de souffle. Il n'y a qu'un seul bâtiment prospère : l'église mormone. C'est qu'ils sont actifs les jeunes frères américains de Salt Lake City à chemises blanches et cheveux gominés ! Ils prêchent en mongol, distribuent les bibles, convertissent. Les Mongols bouddhistes digèrent volontiers la Parole évangélique. Parfois cependant ils achoppent sur des points outrageants : comment accepter par exemple que Christ, le Cavalier céleste, soit entré dans Jérusalem monté sur un âne ?

La loi mormone condamne la consommation d'alcool et de toute forme d'excitant, thé compris. En Mongolie, les effets de cette rigueur sont très bons contre l'éthylisme. Mais, à l'inverse, le spectacle est funeste d'une famille de nomades néo-mormons sirotant sous la yourte des tasses d'eau chaude. Le thé dont on les prive est une boisson qu'ils tiennent pourtant pour aussi sacrée que le sang qui coule en leurs veines.

Le bishop mormon de la place, un jeune Mongol fraîchement converti, veut m'aider. Son père aussi est un pasteur, mais d'une tout autre race : c'est de chèvres et non d'ouailles qu'est fait son troupeau. Et, par un heureux hasard, le vieux berger tient justement à se débarrasser de son meilleur étalon. Le pasteur m'invite à boire une tasse d'eau chaude dans sa cure :

– Ma famille ne peut pas garder le cheval, dit-il. C'est pourtant une très belle bête. Je l'utilisais souvent pour aller prêcher dans les campements. Or, c'est devenu impossible aujourd'hui car nous nous sommes aperçus que le cheval raffolait du cannabis sauvage qui pousse en bosquets, là où nous habitons. Notre religion interdit la consommation de drogue. Nous ne pouvons continuer à utiliser cette bête.

Un canasson hérétique ! Exactement ce qu'il me faut pour continuer ma descente vers l'enfer du Gobi. Nous partons à pied sans attendre pour le campement familial, à trois heures de marche de Sukhbator. Il faut traverser à gué trois chenaux de la Selenga et couper entre chaque rive par de grandes prairies humides. La famille occupe des yourtes posées sur un tapis d'herbes grasses. Les enfants rassemblent les juments, pour la traite. J'inspecte les plaies sur le dos et le garrot des animaux. Le cheval à vendre est magnifique. L'affaire se conclut vite. On me cède l'apostat pour quelques dizaines de dollars. J'achète également la selle russe dont le vieux cavalier mormon me vante les quartiers. Et c'est sur l'étalon impie, mangeur de chanvre et coureur de juments, que je m'enfonce dans le crépuscule, loin des austères mormons que j'ai assez vus aujourd'hui. Le soir venu, avant de m'engoncer dans l'étui de mon abri, je lance au cheval qui broute, attaché au piquet :

– Au fait, ton nom, c'est Slavomir.

Je me lève avec le soleil. Mais lui, c'est plus grandiose. Il y a du jaune, de l'orange et des éclaboussures de sang comme s'il s'était fait mal pendant la nuit. Pendant les six journées qui suivent je chevauche vers Oulan-Bator, situé à trois cents kilomètres de la frontière. Dans la steppe, la progression est une navigation : on avance du matin jusqu'au soir sans que le moindre obstacle n'entrave la course. La prairie est l'océan. Les yourtes sont les îles dont les archipels s'échelonnent à intervalles réguliers. La steppe c'est quand le ciel se pose sur la terre et ne laisse à l'horizon qu'un petit interstice.

Accroché aux arçons de ma selle, je transporte un sac de vivres steppiques : fromages et viandes séchés. Avec cette nourriture qui prend peu de volume et pour autant qu'il trouve de l'eau, le cavalier peut survivre pendant des semaines. Voilà qui explique que les hordes du Grand Khan aient pu sillonner avec tant de facilité les espaces de l'Asie du Centre, lesquels, aux yeux de l'Européen, paraissent des étendues fatales. Parfois on m'invite à boire le thé sous la yourte. Je réponds à ces invitations en ne redoutant qu'une seule chose : le sacrifice d'un mouton pour fêter mon passage. Car alors (l'aventure m'arrive dans une yourte à cent kilomètres de la capitale), il faut faire bonne grâce aux mets d'honneur : oreilles, yeux, abats, cœur, tendons et croquer dans les testicules de la bête pour montrer qu'on mesure à son juste prix l'accueil qui vous est fait. Mais la plupart du temps j'évite les hommes, préférant coucher dans les replis de terrain. L'herbe y est plus saine qu'aux alentours des campements souillés par les troupeaux. En outre, j'aime m'endormir seul, bercé par la mastication du cheval (douce musique aux oreilles du cavalier). Ces quelques jours dans la Mongolie des prairies m'apprennent que la solitude m'est devenue un état nécessaire. Je la trouve douce. Elle est la sœur de la liberté. Enfin je ne parle pas le mongol et les conversations avec les éleveurs réduites à l'écorchage d'une douzaine d'onomatopées suivies d'éclats de rire me sont devenues insupportables. Il y a beaucoup de choses que je voudrais savoir et pas assez de russophones sous les yourtes. J'ai trop de questions à poser aux Mongols sur leur pays que ce siècle de fureur, de sang et d'acier a laissé pantelant pour me satisfaire de pousser des borborygmes en avalant hilare une soupe aux intestins.

Mon cheval va bon train. Il tient le sept à l'heure sans qu'il soit besoin de le forcer. Il est un bon vaisseau et j'aime à le mener. Nous cheminons vers le sud en nous tenant à bonne distance – plusieurs dizaines de kilomètres – de la grand-route d'Oulan-Bator. Nous ne rencontrons parfois pas âme qui vive tout un jour durant. Double luxe : être seul et pas pressé.

J'apprends à connaître l'étalon. J'ai remarqué en croisant des camions combien Slavomir les craignait. Dans les pâturages de la Selenga, il a grandi loin de la rumeur des routes. C'est un cheval des temps où il n'y avait que le cheval. Il redoute également les cadavres de chevaux dévorés par les loups, dissimulés dans les hautes herbes mais que des cercles de vautours couronnent. Je le comprends : ça n'est jamais drôle de voir à quoi mène la vie. Il aime les chardons dont il crève le cœur du sabot pour les attendrir. Souvent je fais halte dans des dépressions de terrain que les récentes pluies ont couvertes de fleurs et je me satisfais jusqu'à la nuit tombée, suçant du fromage durci et jetant quelques notes sur mon cahier en papier de riz, du spectacle de Slavomir arrachant des bouquets de myosotis et de cytise à grands coups d'encolure.

Les chiens constituent le seul véritable danger des steppes. Ils sont les cerbères des yourtes. Chaque famille en élève un, mais l'autorité des hommes sur ces bêtes est nulle. Les mastiffs (c'est leur nom) ne sont pas totalement chiens. Ils tiennent encore du loup. Mais un loup de la pire espèce : qui aurait découvert la propriété privée. Quand ils chargent, crocs dehors, babines révulsées, poussant des aboiements catarrheux venus du fond des âges et des tripes, mieux vaut alors être à cheval. Les chiens d'ailleurs s'en prennent peu aux cavaliers. Mais tout homme qui aborderait un campement à pied s'exposerait à une attaque presque certaine que les maîtres des lieux eux-mêmes auraient du mal à conjurer. La haine des chiens pour les piétons me confirme dans cette idée que si le Ciel a offert le cheval à l'homme c'est pour qu'il s'en serve. Dans les steppes, la bipédie est un manque de savoir-vivre.

J'assiste un jour, en atteignant un *aoul* [1] au spectacle d'une charge furieuse donnée par des chiens de garde contre une jument. Une sorte de *bouzkachi* [2] animal où le cheval tiendrait lieu de carcasse et les chiens de cavaliers ! Qu'a fait la monture pour mériter pareil traitement ? Trois mastiffs la talonnent entre les yourtes en évitant soigneusement les ruades qu'elle décoche. La bête

1. Nom donné aux villages de yourtes en Asie centrale.
2. Version barbare du jeu de polo, où les cavaliers se disputent une carcasse d'ovin.

est encore sellée, les étriers lui battent les flancs : ses rênes ont dû se dénouer du poteau d'attache. Les éleveurs sont sortis sur le pas de leur tente. Quelques hommes qui n'ont pas eu le temps de se mettre en selle essaient en vain de se placer en travers de sa course. Mais les chiens ne relâchent pas la tension. Personne ne parvient à l'arrêter. Je lance Slavomir au galop, me porte à la hauteur de la jument, pousse quelques cris destinés à montrer aux mastiffs que moi aussi je m'y connais en violence préhistorique, saisis la bête par le licol et parviens à freiner sa course. Je reviens aux yourtes. Les chiens hurlent furieusement, dépités. Les Mongols sont très contents et, pour finir, on me convie de force à déguster ma récompense : un bouillon de mouton aux tripes tièdes.

Un soir, je découvre sur la pente d'un talus une bergerie de bois : une halte de pasteur sur le chemin des transhumances. L'endroit occupe un balcon de terrain avancé sur une vallée en auge, elle-même encadrée de bourrelets herbeux qui courbent vers le ciel l'arrondi de leurs croupes. Je nettoie l'enclos, place Slavomir au piquet, monte ma tente, dîne de nouilles chinoises crues (des milliards d'humains en mangent chaque jour dans le monde) et d'un carré de fromage de l'époque brejnévienne (on le conserve des décennies, ici) et m'endors. À trois heures du matin, des pâtres égarés atteignent la bergerie et rabattent dans mon enclos les deux cents biques qu'ils conduisent vers la ville de Dakhan. J'avais déjà sacrifié une nuit à des cochons en Sibérie, je consacre celle-là à défendre mes biens contre la dent de la chèvre – ce fauve.

Je constate le jour suivant que la steppe n'est pas vide. Nous allons, Slavomir et moi, à travers les prairies, escortés de martinets qui savent que les sabots du cheval font décoller tout un peuple d'insectes volants et de sauterelles dont ils raffolent. J'assiste souvent au ballet des grues de Sibérie, amants superbes qui ne se fatiguent jamais l'un de l'autre, éblouis d'eux-mêmes, passant une heure entière à se présenter leurs grâces.

Mais pour peu que les nuages s'amoncellent dans un coin du ciel et que le baromètre tombe, les bêtes vident les lieux. La gifle des steppes c'est l'orage. Les Mongols s'estiment heureux, cet été. Fini les saisons sombres où la sécheresse décimait les troupeaux. Cette année, le ciel s'épanche. Les orages sont à la mesure des steppes : titanesques. Ici, les nuages ont la taille de royaumes. Et quand vient l'orage, on dirait que, crevés par un glaive, ils s'ouvrent d'un coup, comme des outres, pour s'écrouler tout entiers sous leur propre poids, vidés de leurs eaux en quelques instants, laissant sous eux la steppe étourdie de violence. Un matin, Slavomir et moi sommes frappés de plein fouet par un front de grêle. La nuit se fait soudain en plein jour. Quand le rideau arrive, je pense avoir le temps de gagner au galop un talus protecteur. Mais les éléments sont plus rapides. Le choc est si fort que nous ne pouvons faire face. Les grêlons fouettent ma peau et le cuir du cheval. Slavomir tourne sa croupe aux rafales. La grêle se mue en une pluie de gouttes énormes. Je m'accroupis sous ma bête, abrité par l'auvent de son poitrail, et j'attends que le ciel s'apaise. Je suis trempé, j'ai froid et je suis heureux car, au-dessus de moi, je n'ai rien d'autre qu'un cheval.

Au cours des deux mois que je passerai en Mongolie en sa compagnie, il n'y aura qu'une seule occasion au cours de laquelle je craindrai de perdre Slavomir. Ce jour-là, je l'ai attaché dans un campement, à la palissade d'un enclos de chèvres. Traditionnellement pourtant, quand on rend visite à des éleveurs, on noue les rênes de sa bête au poteau destiné à cet usage et que les Mongols plantent devant leur yourte. Autour d'un thé, j'écoute les cavaliers m'expliquer comment rejoindre le puits tout proche. Soudain, le fracas d'une cavalcade suivie d'un hennissement de frayeur. Je jaillis par réflexe hors de la yourte, mû par cette énergie que les mères de famille partagent avec les cavaliers lorsque l'objet de leur amour est menacé. Slavomir a déjà arraché un morceau de la palissade et, emporté par l'élan, est tombé sur le côté. À moins d'un kilomètre, une troupe d'une centaine de chevaux passent au galop. Ce sont de jeunes éleveurs qui s'affrontent à la course, parcourant des dizaines de kilomètres en droite ligne. Affolé par le tumulte, mon cheval a voulu rejoindre la trombe : Slavomir a en somme tenté de s'évader.

Partout où je fais halte pour demander aux hommes l'emplacement des puits ou pour acheter des vivres, je reçois le même accueil qu'on pourrait qualifier d'aristocratique, c'est-à-dire : généreux, naturel et légèrement indifférent. Ce n'est pas vraiment de l'hospitalité. C'est plutôt une sorte d'incapacité à concevoir qu'on puisse laisser l'étranger dehors. En recevant le thé au fond de la yourte à la place d'honneur, je songe que ce peuple affable et paisible, occupé tout le jour durant à tirer le lait de ses chevaux, a donné corps jadis à l'une des forces impériales les plus sanguinaires de toute l'histoire de l'humanité. Dire qu'on craignait les razzias mongoles de l'Empire céleste jusqu'en Occident ! Des peuples, il en va comme de l'homme : ils ont leur jeunesse, leur âge mûr et leur déclin. Beaucoup ne sont plus que le reflet moribond de ce qu'ils ont été. Et chacun dans l'Histoire se partage un siècle de gloire. Les Italiens et les Espagnols ont le XVIe, les Français et les Hollandais le XVIIe. Les Mongols, eux, ont fait trembler le XIIe. Depuis, ils ont eu huit siècles pour devenir faibles et gentils.

Deux jours avant d'atteindre Oulan-Bator, je traverse en ligne droite quelques reliefs coiffés de bouleaux maigrelets. Je grimpe les pentes en zigzag pour ménager Slavomir. Le cheval foule un pré fleuri où poussent des champignons. Ceux-ci n'intéressent ni l'évadé ni le vagabond car – à supposer qu'ils ne soient pas dangereux – ils sont trop longs à préparer pour un apport d'énergie très faible.

Je dors très peu la nuit car je surveille ma bête. Dans les campements, je crains les voleurs de chevaux et me lève jusqu'à cinq fois par nuit. Aussi, pendant le jour, je m'écroule souvent de fatigue dans l'herbe. Je dors en tenant la longe du cheval dans ma main. Il la déroule en paissant. Une secousse finit par me réveiller : c'est la corde qui s'est tendue, annonçant qu'il faut repartir, reprendre la steppe, souscrire à ce principe nomade de la fuite en avant, ce déplacement sans cesse recommencé. Dans la steppe, nul autre choix que d'avancer. L'homme ne fait que passer. Toute halte est sursis. Le paysage, les ressources, le ciel et l'horizon, tout concourt au mouvement. Voilà d'ailleurs pourquoi les hordes mises en branle ont traversé le continent entier sans s'arrêter, foulant la terre tant qu'il y en avait sous le sabot de leurs bêtes.

Je passe ma dernière nuit avant d'atteindre la capitale dans une yourte, fœtus de feutre, monde recréé, replié sur lui-même, avec pour seule ouverture le *tunduk*, cet orifice percé à la clé de voûte, ce nombril de l'œuf, cette fontanelle, par laquelle nos rêves s'échappent vers le ciel pour regagner la nuit. Le lendemain, Slavomir est malade : à cause du pâturage infâme qui entoure la yourte, rasé par les chèvres, souillé d'urine. Plus loin, dans un canyon à sec où des fleurs ont poussé, je le laisse se refaire une santé. Puis je remonte en selle. Au soir venant, apparaît une bête tapie dans la plaine, tache noire et grise couronnée de fumée et hérissée d'antennes. C'est Oulan-Bator, la capitale de l'empire des steppes, la cité des fils de Gengis, l'Ourga mythique que se disputèrent les hordes. Aujourd'hui, c'est une ville industrielle. C'est toujours ainsi avec les lieux mythiques. Samarcande, Oulan-Bator, Kaboul, vous devriez ne rester que des noms dans nos rêves...

En Mongolie, on laisse son cheval à l'entrée de la capitale comme ailleurs on garerait sa voiture. Je confie Slavomir à la garde d'une famille qui a planté sa yourte au contact des premières constructions. Étrange endroit : la steppe soudain s'arrête et alors c'est la ville. J'ai beaucoup à faire à Oulan-Bator. Je déambule, la selle sous le bras, le long des avenues staliniennes du centre, à la recherche d'un gîte. Passent des bâtiments grandioses : opéra, musée d'histoire naturelle, palais du gouvernement. Sur la place centrale, un cavalier sur son piédestal : c'est la statue du bolchevik Sukhbator, le héros rouge qui a bouté les Chinois hors du pays en 1921. Je trouve refuge dans un hôtel où la réceptionniste répondant au nom d'Amaara, belle comme la neige, hésite à me donner une chambre. C'est alors que je me souviens ne m'être pas lavé depuis mes bains dans la Selenga, ni peigné depuis Kiakhta.

Priorité : honorer un vœu prononcé à Oulan-Oudé, quinze jours plus tôt. Je m'étais alors juré de saluer Tserendoulam, sitôt atteint Oulan-Bator. J'avais pris connaissance de son histoire dans les archives de la bibliothèque. Il s'agit d'une femme de plus de soixante-dix ans. Dans les années 1930, elle était la fille de Genden, Premier ministre mongol victime des purges staliniennes. En 1937, il fut arrêté et déporté à Moscou avec sa famille. Tserendoulam avait cinq ans. Le ministre fut exécuté dans les sous-sols de la Loubianka, sans qu'il sût jamais pourquoi. Sa femme et la petite Tserendoulam furent autorisées à rentrer à Oulan-Bator. Elles prirent d'abord le train jusqu'à Oulan-Oudé puis, n'ayant d'autre choix que de marcher, elles firent à pied les cinq cents kilomètres de route le long de la Selenga, via Kiakhta : cinq cents kilomètres en hiver avec des jambes d'enfant de cinq ans... Aujourd'hui Tserendoulam dirige le musée de la répression d'Oulan-Bator. C'est à elle que je veux consacrer mes premiers moments. Lui dire que j'ai marché dans ses pas soixante-six ans plus tard. Lui dire que sur les bords de la Selenga puis à cheval dans la steppe, je lui ai offert en pensée quelques-unes de mes heures d'effort. Lui dire enfin qu'il m'a semblé accomplir un secret pèlerinage dont elle aurait été l'objet.

On m'indique une bâtisse massive. Un panneau : « Musée de la répression politique et des victimes de la guerre ». Je monte l'escalier du perron. Dans quelques instants je serai devant Tserendoulam, « la femme qui a traversé la Sibérie, quand elle était enfant ». Je frappe à la porte aussi fort que bat mon cœur. Un homme m'ouvre.

– Bonjour, je suis français, je voudrais voir la directrice Tserendoulam ; je n'ai pas de rendez-vous, mais j'ai quelque chose d'important à lui dire.

– Mais, monsieur, vous ne savez pas ? Elle était malade, elle est morte cette nuit.

Mes recherches et quelques questions d'organisation me clouent à Oulan-Bator pendant deux semaines. Je suis à l'affût de quiconque me rapportera une histoire d'évasion ou me signalera une piste de recherche. Mon premier bonheur est de rencontrer Youri Nikolaevitch Krouchkine grâce à l'entremise de l'attachée culturelle de l'ambassade de Russie, femme géante vêtue d'une robe marron. Krouchkine est l'un des mille Russes d'Oulan-Bator. Blond, massif, intarissable, historien, écrivain, gros mangeur, linguiste et, par-dessus tout, président d'une vénérable institution savante : la Société des mongolistes russes. Nous nous retrouvons presque tous les jours dans un bistro tenu par des Chinois que les employés mongols regardent d'un mauvais œil, si tant est qu'on puisse lire la moindre nuance de l'âme derrière le mystère de la fente oculaire mongolo-altaïque. C'est une époque où je bois beaucoup – façon de renouer avec la civilisation après des mois de solitude. J'engloutis des litres de bière mongole en écoutant Krouchkine faire resurgir l'ancien temps.

– Des évasions il y en a eu beaucoup après la Seconde Guerre mondiale, me dit-il. Douze mille prisonniers de l'armée du général Vlassov [1] ont été déportés ici, en Mongolie, ainsi que des traîtres ukrainiens passés aux waffens et des Russes de Kharbin. Or, pendant les transferts, des prisonniers s'échappaient.

– Avec l'espoir d'aller où ?

– Je ne sais pas. Les chances de retour en Russie étaient quasi nulles. Beaucoup essayaient de se faire oublier en Mongolie même. Je sais que dans les montagnes de l'Altaï, il y a des métis sous les yourtes. Des Mongols avec des yeux bleus. En cherchant bien sous les tapis de feutre ou dans les coffres de bois, je suis sûr qu'on pourrait retrouver une boucle de ceinturon militaire...

Nous prenons un taxi et roulons vers les faubourgs nord de la capitale. Nous dépassons quelques barres HLM : « les quartiers du progrès » ainsi qu'on les nommait au temps de l'URSS, quand le rêve de tout citoyen était d'emménager dans un appartement chauffé. Dans le reste de la ville, la majorité des Mongols vivent sous une yourte entourée de palissades. Un gros coussin blanc dans un carré de bois : la symbolique de l'agonie du nomadisme. C'est le strict envers de la colossale plaisanterie d'Allais qui proposait de

1. Le général Vlassov, héros de l'Armée rouge, proche de Staline qui l'admirait, est passé dans le camp allemand, en 1942, à la suite d'une trahison dont Staline s'était lui-même rendu coupable à son égard. Voir *Il s'appelait Vlassov*, Jean-Christophe Buisson, Lattès, 2004.

Je relis *À marche forcée* de Slavomir Rawicz dans une maison traditionnelle tibétaine sous le regard de Marx, Engels, Mao, Lénine et Staline.

Le plus court chemin d'un stupa à l'autre. Monastère de Réting, Tibet.

Dans le jargon des prisonniers du goulag, s'enfuir dans la taïga se disait : « Passer devant le procureur vert. » Rive orientale du lac Baïkal, Sibérie.

Le lac Baïkal entaille la Sibérie du nord au sud sur une longueur de six cents kilomètres. Ses rives servaient aux évadés de route naturelle vers la frontière mongole.

Traces d'ours sur la rive du lac Baïkal. Certains mâles peuvent se montrer agressifs pendant la saison des amours, qui commence à la fin du mois de juin.

En Sibérie, le produit de la pêche complétait les aliments transportés dans mon sac à dos et qui m'offraient une autonomie de cinq à six jours.

Avec Slavomir, étalon acheté à la frontière mongole, j'éprouve l'adage nomade : « Un homme sans cheval est un oiseau sans ailes. » Vallée de la Toul, soir d'orage.

Le désert de Gobi n'appartient pas à l'imagerie saharienne. On y trouve davantage d'immenses glacis caillouteux recouverts d'une maigre steppe que de dunes de sable. S'enfoncer en ces parages sans carte des puits s'apparente au suicide. Les carcasses de chameaux blanchies par l'aridité sont là pour le rappeler. Désert de Gobi, Mongolie.

La traversée du désert de Gobi est la plus âpre embûche sur l'itinéraire d'évasion de la Sibérie à l'Inde. Slavomir Rawicz décrit sa descente aux enfers à mesure que chaque pas vers le sud l'enfonce un peu plus dans la sécheresse. J'y ai vécu les heures les plus difficiles de mon voyage, parcourant à cheval jusqu'à soixante kilomètres par jour. Falaise de Bayanzzak.

La dune de Khongor est un cordon de sable étiré sur une centaine de kilomètres au sud du Gobi mongol. Ces formations dunaires sont rares dans le Gobi que Rawicz décrit pourtant comme un océan de sable. Cette erreur fournira un argument parmi d'autres à ceux qui contestèrent la véracité d'*À marche forcée* à l'époque de sa parution.

Vipère, frange nord du désert de Gobi. C'est grâce à la chair des serpents des sables que Rawicz et ses compagnons survécurent dans les profondeurs du Gobi. N'accomplissant pas une reconstitution à l'identique de l'aventure des évadés, je me crus dispensé d'y goûter.

Seul au monde dans le Gobi chinois (province de la Mongolie-Intérieure), à quatre cents kilomètres au nord des plaines cultivées du Gansu.

À vélo dans le Changtang tibétain. Le sol durci par les froidures de l'hiver naissant autorise de couper, tout droit, à travers le plateau.

Descente vers le village de Tangu (province du Sikkim, Inde). Une série de cols situés entre 4 500 et 5 000 mètres d'altitude défendent la frontière entre la Chine et l'Inde. L'Himalaya est l'ultime obstacle sur les chemins de la liberté avant la délivrance de la plaine indienne.

Andreï, fils de déportés ukrainiens, actuel directeur de la scierie du village de Delgey, sur la rive gauche de la Lena. L'abattage des arbres était assuré jadis par les prisonniers des camps situés dans ces zones forestières. Les Russes ne parlent pas beaucoup de cette époque sombre bien que – selon leurs propres termes – « si le devoir de mémoire n'existe pas, du moins a-t-on le droit de se souvenir… ».

Les moines bouddhistes du monastère de Dascheilon évoquent la période de la répression politique qui s'abattit sur la Mongolie en 1937, contraignant beaucoup de lamas à s'enfuir à travers le Gobi.

Les éleveurs de chevaux mongols, héritiers des hordes gengiskhanides, firent les frais des purges communistes et des séances de collectivisation forcée des années 1930. Quelques Mongols échappèrent au régime en gagnant l'Inde où certains ont fait souche.

Séance d'écriture sous la yourte. Les Mongols nomades, de tradition orale, observent les souvenirs et le récit se fixer en temps réel sur le papier de riz de mes cahiers.

Rituel de crémation bouddhiste au monastère de Ganden, à moins de cent kilomètres de Lhassa. Les Tibétains qui fuient aujourd'hui l'oppression coloniale chinoise sont les héritiers des évadés du siècle rouge qui ouvrirent naguère la voie de la liberté de la Russie à l'Inde. Le XXe siècle a vu beaucoup de candidats s'échapper vers le sud au fur et à mesure que l'ombre des totalitarismes gagnait l'Eurasie.

Cantonniers tibétains rencontrés sur une piste de la vallée de Lundzub. Le Tibet et les territoires du Qinghai sont encore à l'heure actuelle des lieux de déportation où des ouvriers sont envoyés des quatre coins de Chine pour suppléer aux besoins de main-d'œuvre.

Montée vers Darjeeling à travers les collines plantées de thé sous l'égide du Kangchenjunga, troisième plus haut sommet du monde. C'est dans la forêt du Bengale-Occidental que Rawicz raconte avoir été secouru par des soldats de l'armée britannique des Indes. Je préfère – pour ma part – poursuivre ma progression jusqu'à Calcutta, point final de l'axe du loup.

Ironie du sort : après huit mois passés dans la pensée et dans les pas d'évadés fuyant les régimes soviétiques ou maoïstes, je rencontre le dernier jour de mon voyage l'un des chefs du Parti marxiste-léniniste du Bengale-Occidental.

Saddhus bengalis rencontrés sur les flancs méridionaux de la colline de Darjeeling. Ils sont des évadés à leur manière : échappés de la lourde réalité du monde !

déplacer la ville à la campagne. Ici, on a mis la steppe en cage. Krouchkine me conduit au cimetière, l'ultime lieu d'Oulan-Bator où s'est réfugiée l'âme russe.

La gardienne des lieux nous accueille. Elle vit avec ses huit enfants dans une roulotte désossée, au fond du cimetière. Chaque année les tombes gagnent et réduisent la surface du carré d'herbe libre devant la roulotte. Elle est la descendante d'un colon du Tsar et la veuve d'un héros de la Grande Guerre de 1941. Elle appartient donc à la caste anonyme des éternels serviteurs de Russie. Mais elle a raté en marche le train du post-soviétisme. Elle dépérit ici sur ce talus ouvert aux vents, entourée de morts, oubliée de tous, loin de sa patrie, sans aide, sans espérance.

Krouchkine me fait traverser le cimetière.

– Vous voyez ici, à cet endroit, étaient enterrés les déportés politiques qui, en 1950, ont construit la route de Kiakhta à Oulan-Bator. C'était le chantier numéro 505. Soljenitsyne le mentionne dans ses livres. Ces zeks-là n'ont jamais été réhabilités, il n'y a même pas de plaque à leur mémoire.

Nous allons nous asseoir près de la tombe de sa mère sur l'un de ces petits bancs disposés selon la coutume russe pour que les visiteurs puissent pique-niquer près de leurs morts.

– La plus extraordinaire histoire d'évasion concerne l'un des soldats de Vlassov. En compagnie d'un officier blanc de Kharbin et d'un autre Russe, il s'est fait la belle avec un fusil volé. Le NKVD les a pourchassés. Le soldat évadé était un tireur d'élite. À chaque fois qu'il en a eu l'occasion, il tirait dans l'étoile rouge du calot de ses poursuivants pour leur montrer qu'il était le plus fort mais qu'il ne voulait pas les tuer. Touchés par ce geste, ils ont cessé de le poursuivre. L'officier de Kharbin a été tué par les miliciens et l'autre compagnon par un ours. Mais lui, le tireur, il a survécu dans les forêts, à l'est de la Mongolie, jusqu'à l'arrivée de Gorbatchev ! Il n'est sorti du bois qu'en 1986. Après quarante ans de survie !

– Et Rawicz ? Son témoignage a été fortement mis en doute en France.

– Et qu'en savent-ils ceux qui l'ont contesté ? Peut-être a-t-il menti, mais cela ne signifie pas qu'une telle évasion soit impossible. Vous le verrez vous-même en traversant le Gobi : il y a des éleveurs qui y vivent... des chameliers... des nomades... Avec beaucoup de chance et avec l'aide d'un guide qui connaît l'emplacement des puits, c'est possible de passer. Des moines ont fui vers le Tibet quand les grandes purges ont commencé en 1937. Et, avant, il y avait eu des familles entières qui étaient descendues vers le sud, fuyant la collectivisation forcée de 1924... Il y a aussi des vieux-croyants russes que l'on a retrouvés dans des villages en Chine : ils ont forcément traversé le Gobi pour arriver là.

Krouchkine ne dit plus rien. Le vent fait doucement osciller les croix orthodoxes. J'aurais bien aimé avoir une petite bouteille de quelque chose pour lui offrir un verre que nous aurions levé aux morts. Mais j'ai oublié d'en acheter une. Il reprend :

– J'ai aussi entendu l'histoire de deux Allemands de la Volga qui travaillaient dans le goulag mongol de Moldot dans les années 1940. Ils ont volé un camion et se sont évadés d'une traite jusqu'en Chine à travers le Gobi... Votre Rawicz, il n'est pas le seul !

À l'hôtel où je reviens le soir, la jeune Amaara (plénitude en mongol) me propose de louer l'appartement de sa tante plutôt que de continuer à loger dans cet établissement sinistre destiné aux apparatchiks sur le retour. Je dois rencontrer la tante le lendemain, dans un immeuble du centre-ville. Entre-temps, un quotidien national publie ma photo et un résumé de mes aventures en mongol sur cinq colonnes. Muni du journal, je vais sonner à l'heure dite à la porte de la tante, laquelle me reçoit, suspicieuse. Elle rechigne un peu à laisser son appartement à un étranger. Amaara lui a certes parlé de moi, mais c'est une recommandation un peu légère.

– N'avez-vous pas de papiers officiels ou de lettres du gouvernement ? me demande-t-elle avec un air de tchékiste habitué à faire davantage confiance aux tampons qu'à la tête des gens.

– J'ai mieux, madame.

Je lui tends le journal d'un air important. L'intention est bonne, mais le résultat désastreux car la journaliste a cru spirituel de titrer en gras, sans que je le sache, juste au-dessus de ma photo :

CET HOMME DEVRAIT ÊTRE
EN ÉTAT D'ARRESTATION

La tante amorce un mouvement de panique. J'obtiens qu'elle lise l'article jusqu'au bout, ce qui m'ouvre les portes de l'appartement.

Mon cousin Nicolas Millet, réalisateur de documentaires, me rejoint à Oulan-Bator. Il va me filmer pendant une dizaine de jours en ville et dans la steppe. Je l'accueille à l'aéroport en compagnie d'Amaara. La jeune princesse est le premier citoyen mongol que Nicolas rencontre, ce qui l'amène à la conclusion que ce pays est un paradis. Les jours suivants, nous visitons le « centre d'études et d'archives de la répression et de la réhabilitation » ; le directeur Richin, un vieux Mongol élégant et racé, commence l'entretien en brandissant la traduction russe du *Livre noir du communisme*[1] :

– Il n'y a pas de chapitre spécifiquement consacré à la Mongolie dans ce livre. Nous sommes oubliés ! Alors que des centaines de milliers de personnes ont fait les frais de la répression communiste.

– Envoyés au goulag ?

– Non. En Mongolie, il n'y a pas eu une très importante tradition de goulag car quatre-vingt-dix pour cent des gens arrêtés étaient liquidés, ce qui réglait de façon très efficace les difficultés d'organisation liées à l'incarcération.

– Et les évasions ?

– Il y en a eu, à travers le Gobi, mais pas là où votre... comment ?

– Rawicz.

– Rawicz, c'est ça. Je n'ai jamais entendu dire que des gens avaient réussi à passer là où il prétend l'avoir fait, c'est-à-dire dans la section centrale du Gobi. Certes, des gens fuyaient par le désert, mais

1. Somme que les Éditions Robert Laffont publièrent en 1998 sous la direction de Stéphane Courtois. Le sort de la Mongolie est évoqué à plusieurs reprises dans les chapitres consacrés à l'Union soviétique sous la tutelle officieuse de laquelle le pays s'est trouvé pendant des décennies.

ils faisaient route vers le Sinkiang, beaucoup plus à l'ouest que votre itinéraire. C'est un peu moins aride : il y a des nomades qui vivent toute l'année autour des puits. Là où vous voulez traverser, personne ne s'y aventure. Il n'y a que la mort.

Les moines que nous interrogeons dans le monastère de Dascheilon, au centre d'Oulan-Bator, tempèrent un peu le pessimisme de Richin. Sous les tentures bouddhistes de la salle de prière, un lama, écrasé de vieillesse, balbutie des bribes de souvenirs. La vie est allée finir ses jours dans ses yeux. Le reste est une carcasse couverte de peau parcheminée. Il porte la robe rouge et jaune des sectateurs gelupkas. Dans le fond de la pièce un *getsul*[1] marmonne des mantras. Les effluves des encens m'engourdissent le devant du cerveau. Le supérieur du monastère nous traduit les marmottements du Vénérable.

– Il n'a pas été lui-même déporté par les rouges quand la répression religieuse s'est abattue, vers 1937. Mais beaucoup de ses amis sont morts. Pensez que sur vingt et un mille moines, dix-sept mille ont été fusillés... Le millier de monastères que comptait la Mongolie a été détruit. À l'exception d'une demi-douzaine à Oulan-Bator qui ont été miraculeusement épargnés. Mais le plus intéressant c'est que la foi bouddhiste n'a pas disparu pendant ces années de tourmente.

– Les bouddhistes ont résisté ?

– Pas exactement, il n'y a pas eu de lutte armée, mais une sorte de résistance passive, détournée. Des moines ont continué à rendre culte à Boud-

1. Jeune moine-étudiant accomplissant son noviciat dans une lamasserie.

dha dans des yourtes converties en monastères mobiles. On les dressait dans un endroit caché. Les moines y officiaient et si l'alerte était donnée, la yourte était démontée en moins d'une heure, rangée sur le dos des chevaux ou des chameaux et on la déplaçait de cent kilomètres pour recommencer les rituels. Il y a eu des monastères clandestins de ce type dans toute la ceinture aride du Gobi.

– Et pas d'évasion ?

– Si ! Des moines sont partis vers le Tibet. Certains ont refait leur vie là-bas, dans des monastères qui les accueillaient, par-delà le Gobi. Quelques-uns sont revenus, dans les années 1960. D'autres ont fait souche. Il y a même eu l'histoire d'un moine bouddhiste de Bouriatie qui a fui la Sibérie stalinienne en 1934. Il est venu s'installer en Mongolie et a dû s'en échapper à nouveau en 1937, au moment où la situation devenait dangereuse ici. Il s'est alors réfugié au Tibet, il a intégré une lamaserie d'altitude d'où il a été à nouveau chassé en 1950 par les maoïstes chinois. Il s'est évadé par l'Himalaya et a fini sa vie en Inde après vingt années passées à courir derrière la liberté...

Pendant mon séjour à Oulan-Bator, je rends visite chaque matin à Slavomir. Les éleveurs à qui je l'ai confié le soignent bien. Je saupoudre de talc une petite blessure qu'il s'est faite à la croupe. Dans quelques jours, je reprendrai la steppe.

Un soir, dans l'appartement, nous vidons précautionneusement avec Amaara les bouteilles de saint-émilion que Nicolas a apportées dans ses bagages. Il y a aussi un saucisson au poivre que la jeune Mongole, carnassière comme tous ceux de sa race, déchire de ses dents blanches en nous fixant des yeux. Nous buvons à son avenir. Amaara ne finira pas ses jours dans la steppe. Elle se sait un destin. Elle nous raconte que son diplôme de biotechnologie l'a conduite dans un laboratoire de recherche où elle a inventé et développé un procédé de fabrication de papier à partir de la poussière de kaolin. Technique révolutionnaire qui permettrait aux Mongols de produire leur propre papier en se passant des importations chinoises. Les subsides que le gouvernement mongol lui versaient pour ses travaux ont été subitement coupés sous la pression officielle de la Chine. Depuis, Amaara cherche à poursuivre ses travaux dans une université européenne. La France n'ayant plus vocation à accueillir des cerveaux, c'est l'Allemagne qui prendra soin d'Amaara. Si tout se déroule bien, elle devrait entrer l'année prochaine à l'université de biotechnologie d'Aix-la-Chapelle. La petite n'aime pas le saint-émilion. Elle me glisse à l'oreille :

– Ton cousin, il ressemble au baron.

– Quel baron ?

– Ungern.

Je savais que mon cousin avait une gueule de Balte. En Russie, en Ouzbékistan, il n'est pas rare qu'on le prenne pour un Lituanien. Le colonel Cagnat, ancien attaché militaire de la France en Asie centrale lui a même soutenu, un jour que nous canotions sur le lac Issyk-koul, qu'il était le sosie d'un général stalinien qui défendit Moscou pendant la Seconde Guerre mondiale. Mais la remarque d'Amaara est plus flatteuse. Ressembler à Roman Fedorovitch von Ungern-Sternberg, le baron fou ! Le généralissime de la « division asiatique » ! Mon propre cousin !

– Tu connais le baron, Amaara ?

– Tous les Mongols le connaissent. On en parle même à l'école. Von Ungern-Sternberg est l'ami de mon peuple.

Dans les vapeurs de vodka et de saint-émilion renaît à ma mémoire la geste du baron. La révolution d'Octobre... l'année 1921... les rouges progressant vers la Transbaïkalie... les blancs perdant du terrain, affaiblis par leurs dissensions intestines... Wrangel et Denikine défaits... l'ataman Semenov, chef de la contre-révolution sibérienne, jouant un jeu trouble... les Chinois occupant la Mongolie, assouvissant ainsi leur revanche sur des siècles de raclées... et soudain, dressée dans la steppe, la figure du baron en selle sur sa jument, ses yeux bleu Baltique tournés vers les steppes d'où il est persuadé que proviendra le salut. Il lève une armée de cavaliers mongols, russes, tibétains, ukrainiens, cosaques, japonais : horde mythique qui portera le nom de « division asiatique de cavalerie » dont il s'autoproclame généralissime. Combien d'hommes ? Le sait-il lui-même ? On le dit manipulé par le Japon, il n'est que porté par un rêve dément : celui de faire revivre, des steppes jusqu'à l'Atlantique, les grandes heures de l'empire jaune, d'arracher l'Europe à sa décadence et de l'inonder de la lumière du soleil mongol. Il se voit déjà *Ungern-Khan*, empereur d'Eurasie. Il chasse les Chinois d'Oulan-Bator (qui s'appelle alors Ourga), rétablit sur son trône le Bouddha vivant et, fort de cette victoire, entraîne vers le nord sa division, persuadé d'enfoncer sans peine les troupes russes de l'Armée rouge et de mener sa reconquête d'un seul élan jusqu'en Occident. Ses ardeurs sont vite arrêtées : il essuie une lamentable défaite à la frontière mongole, est trahi par les siens, arrêté peu après par les soviétiques et exécuté au terme d'un procès assez rapide. À certains, il laisse le souvenir d'un dangereux cinglé préfasciste, et aux autres l'image d'un chevalier eurasiatico-wagnérien qui confondait la steppe avec la forêt de Brocéliande. Les Mongols, eux, perpétuent sa mémoire car ils lui sont reconnaissants d'avoir libéré Ourga des Chinois et d'avoir aimé la Mongolie plus que tout au monde [1].

Je remplis le verre d'Amaara. Le baron aurait été sûrement heureux d'apprendre qu'une jeune Mongole (et la plus belle !) s'apprête à s'installer à Aix-la-Chapelle au cœur du Saint Empire...

– Voulez-vous vérifier s'il y a des souvenirs de lui au Musée national d'histoire ? nous propose-t-elle.

– Comment donc ! Sur-le-champ !

Le directeur du musée d'histoire est un peu étonné de notre empressement.

– Du baron ? Il reste une botte. La gauche, je crois.

Il nous escorte devant ladite relique. C'est bien la gauche. Ainsi qu'il convient aux purs, aux anges et aux samouraïs, le baron n'a presque rien laissé de son passage sur la terre. Une trace. Des souvenirs. Et cette botte de cuir devant laquelle je m'agenouille sous le regard consterné du conservateur.

– Je peux autre chose pour eux ? demande-t-il à Amaara, un peu inquiet.

1. Sur le baron fou, on lira *Le Mors aux dents*, Vladimir Pozner, Actes Sud, 1985.

– Ils cherchent des informations sur la déportation et les évasions répond-t-elle.
– J'ai quelque chose.
La photo que nous détaillons, assis autour de son bureau, date de 1928. Elle représente une classe d'élèves de terminale au complet, photographiée devant un bâtiment scolaire.
– C'est le lycée Michelet, à Paris, en 1928. Si vous regardez bien la photo, vous verrez quelque chose de bizarre.
Il pointe du doigt des têtes. On remarque quatre jeune Mongols qui ont l'air un peu perdus au pays des hussards noirs de la République.
– Ils ont été envoyés à Paris pour finir leurs classes. J'ai la copie du discours du proviseur : « ... la France est fière de les accueillir, ils vont devenir les quatre premières personnes éduquées de la Mongolie... » Ils sont revenus ici, à Oulan-Bator, dans les années 1930, une fois leurs études accomplies. L'un d'eux est devenu le plus grand généticien du pays, l'autre, géologue, le troisième médecin et le quatrième régisseur de théâtre. Un cinquième, qui avait lui aussi passé du temps chez vous, est rentré à la même période et s'est distingué par ses travaux archéologiques. Mais, quand la répression a commencé, ils ont été suspectés de collaboration impérialiste à cause de leur séjour en France. Ils avaient vécu et étudié dans le camp de l'ennemi ! On a déporté trois d'entre eux au goulag. Un seul en est revenu vivant. Je serais content, quand vous reviendrez en France, que vous essayiez de trouver, au lycée Michelet, des archives les concernant.
Nous le lui promettons.

Nous passons à pied sur la rive droite de la Toul, la rivière qui coule au sud d'Oulan-Bator. Du sommet d'une colline où les communistes ont érigé un monument à la mémoire des soldats de la Grande Guerre de 1941-1945 nous dominons la ville qui n'était jusque dans les années 1930 qu'un village de tentes, de yourtes et d'isbas piqueté de pagodes. Un sommet tout proche s'affaisse en pente douce jusqu'à la rivière.

– C'est par là que le baron est entré dans Ourga, explique Amaara.

Mes yeux remontent le courant de la Toul. À quelques kilomètres, elle décrit un coude vers le sud et disparaît derrière le fil d'un puissant talus. C'est par là que je passerai demain, vers les steppes du sud et le désert de Gobi.

7
Dans la steppe

août-septembre

Nous sommes cinq à quitter Oulan-Bator, le 16 août. Deux chevaux et trois hommes. Le photographe Thomas Goisque nous a rejoints la veille, par avion. Il doit lui aussi passer quelques jours au fond des steppes en ma compagnie pour moissonner des images. Thomas, lui, ne ressemble pas à Ungern. Il descend d'une famille picarde et tient sans doute de son attachement à la terre cette façon un peu massive de marcher comme si les pieds quittaient le sol à regret. Mais, dans la difficulté, je ne l'ai jamais entendu émettre la moindre plainte. C'est qu'il tient le renoncement pour une trahison. Quand il commence à douter de sa capacité à venir à bout d'un obstacle physique, il a volontiers recours à cette pensée de Péguy : « Réfléchir, c'est commencer à capituler. » En plus de Slavomir vient un deuxième cheval que j'ai acheté avec Nicolas au bazar aux bestiaux deux jours auparavant, pour porter le matériel : caméras, appareils photo et objectifs.

Nous faisons nos adieux à Amaara que nous reverrons un jour, au pied de la châsse de Charlemagne. Nous sellons Slavomir, bâtons la nouvelle recrue et partons vers un pont situé au nord de la zone industrielle d'Oulan-Bator, près d'une usine thermique. Les cheminées crachent noir. Ni le baron ni le *khoutoukhtou* (le Bouddha-vivant mongol) ne se seraient doutés qu'un jour un nuage de pollution (l'ombre du progrès) couronnerait Ourga. Nous prenons pied sur l'autre rive de la Toul. Pour rejoindre les grandes steppes centrales que je convoite, nous remontons le cours de la rivière sur deux cents kilomètres, pendant cinq jours. La première journée est exclusivement consacrée à faire tenir sur le dos du nouveau cheval le volumineux bissac de cuir rempli jusqu'à la garde de dizaines de kilos de matériel.

La vallée de la Toul convaincrait quiconque que les « routes de la liberté » sont des chemins de splendeur. Mais se pourrait-il qu'une route menant à la liberté ne soit pas belle ? Les rayons du soleil, filtrés par le kaléidoscope des nuages en mouvement, projettent sur les talus sauvages des lumières de Genèse, et plongent parfois une moitié du paysage dans l'obscurité cependant que l'autre se drape d'or avant de s'éteindre elle-même brusquement. Nous allons des kilomètres entiers dans de hauts phragmites [1] battus par des houles de vents continus.

Les orages du début du mois ont gonflé les eaux de la rivière. Frayeur, ce jour où le bât du cheval s'arrache alors que nous tentons de passer le long d'un à-pic rocheux dont la Toul lèche le pied. Nous en sommes quittes pour réparer les dégâts avec drisses et garcettes puis, renonçant à guéer, nous franchissons le revers de la falaise par un col cail-

1. Sorte de roseaux.

louteux avant de redescendre vers les méandres galonnés du velours vert savane de la prairie. De rares yourtes bossellent l'horizon : elles sont promesses de chaleur et de confort. Nous nous serrons dedans la nuit venue, partageant le sol pêle-mêle avec les enfants et les araignées des champs que je crains plus que tout. Les autres soirs, nous installons nos bivouacs au bord de la rivière et allumons des feux qui trouent les brouillards vespéraux de halos orangés. Les écharpes de brume montées du courant chaud de la Toul rampent sur la rive, s'effilochent dans les buissons et s'approprient si bien la nuit qu'à l'aube nous nous éveillons dans des paysages féeriques et peinons à reconnaître la tache massive du corps de nos chevaux derrière les haillons de vapeur d'eau. Il arrive même une fois que le niveau de l'eau monte pendant la nuit et que nous nous trouvions, au matin, encerclés sur une île, prisonniers d'un bras d'argent qu'il nous faut traverser à gué pour reprendre la marche. Le soir, nous avons des visites : des chiens sauvages s'approchent et hurlent à la manière des loups à moins que cela n'en soit vraiment. Une autre fois, sous les étoiles, c'est une harde de chevaux qui viennent s'enquérir de nos intentions auprès de Slavomir. Et un jour c'est « Istérik », jeune Mongol impassible qui surgit dans le cercle de notre feu précédé du chant qu'il gueule à tue-tête et s'assied sans mot dire autour du foyer et accepte notre café avant d'annoncer qu'il veut nous vendre son cheval blanc (que nous échangeons finalement contre notre bête de somme).

L'orage qui nous rattrape un soir avant que nous réussissions à atteindre le refuge d'une yourte laboure le ciel, fait saigner l'horizon et, finalement, soulage sa fièvre en déversant sa pluie sur nous, aussi violente qu'une grêle de coups de fouet sur un cheval.

Nous subsistons sans rien avaler d'autre que les maigres provisions que nous avons emportées dans le bissac et un très léger état d'inanition nous met les nerfs à fleur de peau, ce qui nous permet de mieux éprouver la poésie des heures passées dans l'étrange et lumineuse atmosphère de la Toul. Nous quittons la vallée vers le village de Buren que nous atteignons au soir du sixième jour après avoir délicieusement bivouaqué dans une steppe vert bronze piquetée de duvet blanc dont l'odeur signale l'ail sauvage. Le village ressemble à tous les hameaux mongols, posés au gré de l'Histoire sur le hasard de la géographie : un regroupement de maisons de planches, quelques yourtes, toutes ceintes de palissades. Deux pistes en croix qui traversent le tout et sur lesquelles on joue au ballon quand on est gosse, on piétine à l'âge adulte, on boite à la fin de sa vie. Il flotte dans ces hameaux du *Far East* un parfum de désespérance, d'accablement et de stupeur devant le choix de l'emplacement : « Pourquoi là ? » La différence avec un campement c'est que ces villages-là ne seront jamais levés...

À Buren, nous faisons nos adieux à Nicolas qui s'en retourne en France via Oulan-Bator où un villageois le ramène à bord d'une antique *waz* russe des années rouges. Thomas et moi confions la garde des deux chevaux à des éleveurs sédentarisés et partons à bord d'une autre *waz* pilotée par un jeune chauffeur, pour enquêter sur l'une des pierres d'achoppement de l'affaire Rawicz.

Voilà l'épine : le Polonais écrit dans *À marche forcée* avoir tenu dans le Gobi plus de dix jours sans boire (fadaise), mais – et c'est le plus grave – il décrit le désert mongol comme un océan de dunes. Une vaste étendue de sable. Une réplique asiatique du Grand Erg saharien. Or, une telle évocation fait bondir les géographes qui savent que le Gobi est un glacis semi-aride offrant aux ardeurs du ciel la couverture d'une steppe rachitique ou d'un cailloutis stérile et noirâtre. Pour parfaire la description géomorphologique, il faudrait signaler aussi des massifs rocheux, sortes de citadelles de pierre au pied desquelles reposent les points d'eau. Mais de dunes, point. Ou du moins très rarement. Et, s'il y en a, elles sont à ranger au rayon des curiosités de la géologie. Je sais qu'au sud du pays s'élève une de ces anomalies : un bourrelet de sable posé sur le substrat. Il ne mesure qu'une dizaine de kilomètres dans sa largeur nord-sud et s'étire sur plus de cent kilomètres de long. C'est donc un cordon dunaire qui coupe la route de quiconque se dirige vers le sud. Or, quand bien même Rawicz aurait traversé ce court obstacle, il n'est pas justifiable que dans sa description il ait réduit le visage du Gobi à une mer de sable. C'est cette traînée de poudre oubliée par les âges sur un socle stérile que nous voulons observer. Le voyage ne sera qu'un aller-retour rapide. Ensuite, Thomas retournera à Paris et, moi, je retrouverai les chevaux à Buren.

Notre virée tourne au désastre. Le jeune chauffeur de *waz*, plus rompu aux déambulations dans les quartiers branchés d'Oulan-Bator qu'aux azimuts tirés dans les prairies, ne s'y retrouve pas. La steppe, à sa décharge, est cruelle à celui qui ne possède pas le sens de l'orientation, ce don stellaire que les nomades partagent à égale hauteur avec leurs chevaux. Nous tournons en rond dans les herbes. Nous grimpons sur les éminences car on croit toujours, par un préjugé tenace, que la vue au sommet d'une colline dévoilera de bonnes nouvelles... Nous errons sous un ciel aussi uniforme que la prairie dont il est le miroir. Puis finalement nous trouvons la bonne vallée et naviguons vers le sud jusqu'au soir. La steppe se racornit, s'efface progressivement, devient Gobi. La journée meurt dans l'éternité du désert et le ronronnement du moteur russe. Le chauffeur réussit alors l'exploit de s'embourber dans l'unique flaque de boue du désert de Gobi : une cuvette de terrain argileuse qui a retenu l'eau des dernières averses. Il a foncé droit dedans. La voiture est prise dans la glaise jusqu'au châssis. Nous passons la nuit à la belle étoile. À l'aube nous surprenons le chauffeur (décidément très au-dessous de la situation) occupé à faire sa toilette avec notre dernier litre d'eau potable. Vingt-quatre heures passent. Nous accomplissons quelques vaines tentatives de désembourbement manuel (nous n'avons même pas de pelle). Mais, alors que nous commençons à évoquer l'hypothèse de rejoindre à pied et sans eau un village distant de soixante kilomètres, le Ciel intervient en dépêchant par le plus pur des hasards un camion à dix roues de marque GAZ, transportant les membres d'une expédition scientifique : six phytobotanistes russes de l'université d'Ekaterinbourg. Nous obtenons une fois de plus la preuve qu'il suffit d'attendre que *les Russes arrivent* pour que le cours des événements s'accélère. Sacha, le chauffeur du camion, vêtu seulement d'un maillot de bain et de bottes de pêche, nous lance un câble et le GAZ extrait la jeep de sa gangue dans une gerbe de mélasse pendant que la doyenne du groupe, spécialiste des échanges chlorophylliens, plantée au milieu de la flaque argileuse, coiffée d'un large bonnet de plage, livre à ses confrères ses remarques sur la plante saline qu'ils viennent de découvrir au milieu du bourbier, parfaitement indifférents à notre sauvetage.

Nous passons deux journées à explorer la dune. Au pied : une source d'eau autour de laquelle prospèrent des chameaux de Bactriane et des campements nomades. Deux cents mètres péniblement arrachés à un versant de sable fin nous conduisent au sommet. À chaque pas s'effondrent des langues fluides qui dégringolent en petites avalanches. En glissant, les nappes de sable crissent à la surface du sable resté stable, provoquant un chuintement qui, lentement, se transforme en vibration puis emplit crescendo l'atmosphère d'un grondement sourd comme si le vent bourdonnait dans la harpe celtique abandonnée par un barde sur une falaise des Highlands. Les géomorphologues appellent « solifluxion » ce phénomène de glissement. La musique du sable, elle, ne porte pas de nom mais nous reconnaissons bien là le « chant des dunes », pareil au cri des baleines et qui a persuadé tant de voyageurs errants sur les routes de la soie que rôdaient derrière leur dos chimères et dragons. L'affabulation n'est jamais loin de la solifluxion.

L'arête terminale de la dune est effilée comme une lame. Vers l'ouest disparaît dans le lointain le fil de la vague de sable. Vers le sud moutonne une bande d'une dizaine de kilomètres de petites dunes puis, plus loin, le désert noirâtre reprend ses droits et déroule son tapis jusqu'en Chine. Nous bivouaquons sur un replat de sable, nichés dans les pentes sud, juste sous l'arête. À minuit la tempête se lève. Des plaques de sable décrochées de la crête nous ensevelissent progressivement. Nous devons nous extraire tous les quarts d'heure du sable qui monte comme une marée mauvaise. Au matin, le vent tombe. Nous dégageons nos affaires enfouies sous un mètre de sable. L'aube confirme ce que nous avions entrevu la veille. La dune n'est qu'un mince cordon. Un accident sableux dressé sur un cailloutis pelé.

Vingt-quatre heures plus tard, le 30 août, Thomas est dans l'avion pour Paris et, moi, je quitte Buren à cheval sur Slavomir, tenant à la longe le cheval blanc à qui je n'ai toujours pas trouvé de nom.

Je m'enfonce, en cet instant où je renoue avec la solitude, dans un long couloir de journées identiques les unes aux autres qui vont me conduire par le ventre des steppes jusqu'au Gobi. Une fois dans les franges nord du désert, je prendrai la décision de continuer à cheval ou bien d'aller à pied. J'ai fixé à ma selle une besace de provisions non périssables et un bidon de cinq litres d'eau, complété par les trois litres logés dans mon sac à dos : huit litres qui signifient trois jours d'autonomie. Je fais route au GPS, cap à 180° vers le hameau de Hovd qui marque l'entrée du Gobi proprement dit. Il me faudra huit jours pour l'atteindre depuis Buren. Je chemine à l'azimut, cherche les puits au soir venu, bivouaque seul, ou bien dors sous les yourtes quand il y en a et, parfois, croise un petit village. Chaque kilomètre accompli dans la direction du sud est une marche de plus descendue vers l'aridité.

Pour les évadés, la Mongolie était un purgatoire. La progression était (et c'est encore le cas !) plus aisée dans les steppes que dans les taïgas, et l'on avait plus de chance de rencontrer ses semblables ici que sous le couvert des forêts. Les nomades croisés avaient davantage l'âme à accueillir l'étranger qu'à le dénoncer aux autorités. Mais l'influence russe s'étendant alors jusqu'à la frontière chinoise, les bagnards n'étaient pas tirés d'affaire. C'est ce qui explique la nécessité pour eux de continuer la route, de ne pas céder à la tentation de s'arrêter en si bon chemin. Ils ne devaient jamais perdre de vue que le but n'était pas de sortir de Russie mais d'arriver en Inde. S'évader ne se réduit pas à quitter l'enfer : encore faut-il regagner le paradis...

Je chevauche, de l'aube à la nuit, huit et dix heures, coupées d'une halte de soixante minutes au milieu du jour et de courts arrêts improvisés. Chaque jour, je demande à mes chevaux d'enlever cinquante à soixante kilomètres. Un soir, le sabot de Slavomir transperce des galeries de spermophiles. J'imagine les petites bêtes pelotonnées dans le confort de leur tanière et qui soudain reçoivent le ciel sur la tête. Je contemple, défilant sur le tapis des herbes, le manteau d'Arlequin des taches de soleil filtrées à travers le treillis des cumulus. Les nuages ressemblent à un troupeau poussé par le vent qui serait leur berger. Les puits dont mes cartes russes me donnent l'emplacement précis déterminent ma course. Mon voyage est un fil de vie que je tends d'un point d'eau à l'autre. Quand j'abreuve mes bêtes, je ressens la félicité parfaite. La satisfaction monte en moi à mesure que leurs ventres se remplissent. J'aurai enfin une réponse à ceux qui me demandent ce que je cherche dans mes voyages : « le bonheur de regarder pisser mes carnes ». À certains moments du jour, pris de fatigue, je m'endors après avoir mis les chevaux au piquet. Je rêve alors à mes proches, laissés en France, et quand je me réveille, brusquement ramené à ma solitude, projeté dans le vide steppique, je suis étreint par une immense mélancolie. Je parle beaucoup tout seul. De plus en plus fort et de plus en plus longtemps ! Et je me dis que lorsque je reviendrai en France, j'aurai beaucoup de mal à donner des conférences dans les écoles parce que j'aurai pris la mauvaise habitude d'être écouté quand je parle ! Un soir, je croise une ligne de téléphone avec des poteaux bandés vers le ciel d'azur et qui strient la steppe et soulignent la fuite des perspectives. Un Mongol fait un morceau de chemin avec moi, muni d'une *urga* [1] qui lui sert à attraper les chevaux et qu'il tient en travers de son cheval comme un balancier de funambule. Il m'invite dans sa yourte et nous passons une bien bonne soirée, dans le silence total, entrecoupé seulement de nos raclements de gorge pour éteindre le feu que la râpe de l'*ayrak* [2] allume dans le gosier. Les jours suivants, passent les petits hameaux de Sankt, de Bayangol et de Togrog. Comme à Buren : quelques maisons encagées dans leur palissade,

1. Tige de bois terminée par un nœud coulant.
2. Alcool de lait de jument.

comme un carré de soldats que défierait la monstrueuse immensité environnante.

Un jour je saute à terre et, du pied, coince la tête de la vipère dont j'ai vu les osselets noirs et blancs serpenter sur le sol. Je la saisis comme il faut ; entre pouce et index à la racine de la tête. Je découvrirai plus tard qu'il s'agit de la vipère de Hapis, identifiée au XVIIIe siècle par un herpétologue occidental comme le serpent le plus venimeux de l'Asie centrale. Étaient-ils de cette espèce, les reptiles que Rawicz et ses compagnons dévorèrent dans le Gobi et auxquels ils durent leur survie ? Je profite de ce que l'objet de mon voyage n'est pas de me livrer à une reconstitution *in situ* de l'épopée rawiczienne pour ne même pas songer à cuisiner la bête.

Cauchemar vécu avec un monstre, une fois, dans une yourte où je passe la nuit à terre. Sentant quelque chose m'effleurer le visage, je me gifle dans un demi-sommeil et, au matin, moi, pauvre arachnophobe, je me réveille le nez sur un cadavre d'araignée énorme. Il y a aussi les chameaux dont je croise parfois des troupeaux entiers et dont je suis incapable de déterminer s'ils sont sauvages ou domestiques. Mes chevaux craignent ces vaisseaux de charge et renâclent à les approcher.

Je chevauche comme les Turkmènes : en changeant de monture au cours de la journée. Le matin sur Slavomir-le-noir, l'après-midi sur le blanc. Par cette manœuvre d'alternance, on conserve ainsi intacte la santé de ses bêtes cependant que le changement de couleur de l'encolure sous les yeux procure une distraction non négligeable.

Autour de moi, 360° de steppe rectiligne. Pas un arbre pour pisser, ou pour se pendre. Je sens l'étreinte de l'immense comme un nœud coulant à la gorge.

Peu après avoir franchi à gué la rivière Okhon, je m'accorde quelques instants de sommeil, allongé sur ma bâche militaire russe. Un bourdonnement me tire de mes rêves. C'est un tracteur qui peine à travers la steppe, remorquant une yourte démontée dans une carriole. Le tractoriste a dû repérer mes chevaux, et fait cap vers moi. Je referme les yeux. Le soleil brûle la terre. Un hoquet : le tracteur s'est arrêté et me couvre de son ombre. Je m'apprête à protester qu'on ne vole pas ainsi le soleil des gens quand un type s'extrait de la cabine et se précipite vers moi en hurlant, barre à mine à la main, avec l'intention indubitable de m'ouvrir le crâne. Je suis sur mes pieds, prêt à esquiver le coup. Le type trébuche, ce qui laisse le temps, à moi, d'arracher le piquet des chevaux et de monter sur Slavomir, et à un deuxième Mongol de jaillir du tracteur. Les deux hommes luttent un peu. Bagarre d'ivrognes. Légèrement à l'écart, un peu ému encore, monté sur le cheval (où tout Mongol sait qu'on est en sécurité), j'assiste au spectacle, tout en repliant les longes.

– Excusez-le, il est soûl ! fait le deuxième Mongol avec une grimace horrible. Mais tout va bien, vous savez.

– Oui, oui, bien sûr tout est normal, tout va bien, dis-je.

– Voilà, on va s'en retourner, on est contents de vous avoir vu.

– Enchanté, moi aussi. Vraiment. Un plaisir.

– Au revoir.

– Au revoir.

Ils repartent vers l'ouest.

À cent kilomètres au nord de Hovd, je traverse une cuvette percée de monticules rocheux. Le sol est couvert d'un cailloutis noir et agité de beaux mouvements de terrain. Des herbes rousses, abricot, sang, violette, mauve : fauves. C'est la première fois depuis mon entrée en Mongolie que la steppe se pare d'une autre teinte que sa verdeur d'absinthe. Au terme du huitième jour, j'atteins enfin le village : amas de maisons, de yourtes et d'immeubles administratifs décrépis (les Soviétiques ont réussi à porter la bureaucratie jusqu'au fond de la steppe), déposés là comme on laisse un étron. Plus loin, la steppe s'annonce encore un peu plus clairsemée, les puits plus espacés. Jusque-là je réussissais à en relier deux par jour. Mais l'aridité gagne ici en intensité. Où commence précisément le Gobi ? « Là où l'on meurt de soif », répondrait Rawicz. Hovd marque une étape bioclimatique au-delà de laquelle mes deux bêtes, originaires des vertes prairies de la Selenga, connaîtraient trop de souffrances si je les y poussais. Je décide de les échanger dans un campement contre un cheval mieux rompu aux rigueurs du désert : une petite monture du Gobi. L'affaire est conclue avant la nuit. J'ai suivi mon premier mouvement, dicté par l'instinct (« méfiez-vous du premier mouvement, c'est souvent le bon », a dit un poète) et j'ai frappé à la porte de la yourte qui m'attirait le plus parmi toutes celles qui essaiment autour du village de Hovd. La chance m'a souri : le maître des lieux, Bazarzat, Mongol taciturne sanglé dans un *dêli* [1], n'a presque pas discuté. Il m'a sur-le-champ acheté

1. Long manteau traditionnel mongol.

le cheval noir et échangé le blanc contre une petite monture autochtone. Je passe la nuit sous la yourte et, à l'aube, je monte en selle et éperonne mon nouveau cheval sans rendre visite à Slavomir, ni même lui jeter un dernier regard car je suis très sensible quand il s'agit de quitter les bêtes.

Je fais halte après quatre heures d'avancée dans une dépression couverte d'une toison de végétation racornie. Mon nouvel étalon mâche sans conviction des ligneux morts depuis l'été dernier. Son œil triste surplombe une lèvre de vieux monsieur mélancolique. Je me dis que c'est un sort cruel de vivre au désert quand on appartient à la race des chevaux créée pour caracoler dans les prairies. Je me plonge dans la carte et contemple les points bleus figurant les puits qui piquettent, çà et là, la large tache brunâtre du Gobi. Le secret de la traversée que j'entreprends réside là : dans l'absolue nécessité de ne pas manquer un seul puits. Mes propres réserves d'eau me mettent à l'abri de la soif pendant trois jours mais mon cheval, aussi adapté soit-il à la sécheresse, ne peut se passer de boire pendant plus de trente-six heures. Ce qui réduit à un jour et demi la période de temps vivable entre deux points d'eau. Pour avoir longuement enquêté sur le sujet à Oulan-Bator, je sais qu'il se trouve un poste-frontière à cent kilomètres au sud du village de Gurvantès (ce nom espagnol !) entre la Mongolie et la Chine, porte de passage perdue dans les replis du Gobi, hors de tout grand axe et que n'ont le droit d'emprunter que les ressortissants de l'une ou de l'autre république. Mais je veux quand même m'y présenter et forcer la chance avec l'espoir de faire fléchir les sentinelles en faction. En arrivant devant elles, je n'aurai aucune autre recommandation que les semaines de lutte passées dans le désert et ma volonté farouche de faire cap vers le sud. J'ai déjà vu des miracles se produire devant des barrières destinées pourtant à ne jamais s'ouvrir...

La frontière est à dix jours de marche. Une fois que je l'aurai atteinte, il me faudra encore franchir quatre cents kilomètres de Gobi chinois. J'aligne mon axe de marche sur la direction qu'indique l'aiguille blanche de ma boussole, celle du sud, et je ne fais d'infidélité à ce cap cardinal que lorsqu'il s'agit de rejoindre un puits. Le dard de la solitude profite de ces semaines silencieuses pour pointer à la surface de mon cœur. Je passe dix jours dans le silence et le vide. L'effort physique pèse peu dans la difficulté de ces étapes en comparaison de la monotonie des heures. L'ennemi dans la steppe c'est l'uniformité des instants qui se succèdent, rigoureusement identiques au point qu'on ne peut plus savoir s'ils sont faits de quelques secondes ou de quelques jours. Le Gobi exige d'accepter que rien ne variera d'un pouce ni dans le déploiement du temps, ni dans le défilement de l'espace, ni dans l'allure de la bête et que seuls le cours des idées et la course des nuages offriront dans la béance quelque occasion de divertissement. Mes pensées sont le seul élément qui jalonne ces journées monochromes. Dans le paysage unique, elles sont seules à varier. La terre est morte, le ciel est mort, mes idées vivent. Et si, au soir venu, je désire me rappeler de quoi était faite ma dernière matinée, je dois recourir à ce que j'ai pensé, non à ce que j'ai vécu. Or ma mémoire n'enregistre du monde extérieur qu'une poignée d'images confuses dont je ne sais si elles appartiennent au jour même ou à la veille. Les souvenirs se dissolvent dans l'hébétude. Lorsque, plus tard, je repenserai à ces journées, elles me reviendront à l'esprit comme une seule tranche de vie insécable. Surnagera de cette bouillie le sentiment d'avoir vécu, avec honnêteté, une pleine expérience.

Pour ne rien oublier, je jette des notes sur mon cahier, chaque soir, à la clarté du feu ou bien, lorsque je fais halte dans une yourte, à la lueur de la bougie que les Mongols installent pour moi et qui projette des vacillements de lumière sur leurs faces planes de lunes pleines.

Jour 1 : Abattu 50 kilomètres. Je m'engouffre dans un glacis pelé, une pédiplaine couverte d'une maigre végétation. Je me souviens d'avoir lu quelque part que le Gobi était une ancienne mer retirée. Pourquoi la mer s'en va-t-elle toujours quand j'arrive ? Deuxième question : mais où Rawicz a-t-il vu des dunes ?

Jour 2 : Abattu 56 kilomètres. Je vais dans l'horrible silence. Le Gobi est un ventre qui me digère. J'ai passé un relief indiqué sur ma carte. Voici une réflexion à propos de la traversée du Gobi par des évadés : les puits sont en général disposés au pied des escarpements rocheux qui font comme des îlots noirs posés sur la paume du désert, des citadelles dressées sur les glacis. Mais qui ne connaît pas leur emplacement ne peut les repérer de loin car il ne prospère pas de végétation autour d'eux. Il s'agit en général d'un trou creusé dans le sol et protégé par des lauzes de schiste disposées en manière de margelle. Rien d'autre. Aucune trace de la présence de l'eau. Ni palmier, ni herbes folles comme dans les oasis sahariennes. On peut passer à cinq cents mètres du puits sans le voir. Traverser le Gobi n'est pas surhumain à qui sait précisément où se trouvent les puits. Les ignorants sont comme des aveugles.

Jour 3 : À nouveau 50 kilomètres. L'idée que chaque pas accompli est un mètre gagné vers Lhassa m'aide à avancer. Je passe la nuit dans un campement. Ce que je pressentais se confirme : là où ma carte indique des points d'eau, je trouve des hommes. La yourte sous la pleine lune fait comme un coussin phosphorescent. La lune, la yourte, la bête, la nuit : tout est en ordre. Le pastoralisme est la meilleure illustration de l'équilibre entre les hommes et le monde. Harmonie fragile, vie sur le fil, le nomadisme est un funambulisme. Je reste longtemps éveillé à me repaître de la plénitude nocturne. Puis je vais rendre visite dans l'obscurité laiteuse à mon cheval que j'ai entravé à la mode mongole : les deux antérieurs noués et la corde reliée au licol. Il peut ainsi vaquer pour se nourrir dans le maigre pâturage sans s'éloigner trop. Se lève un vent à débosseler les chameaux. Je rêve que la yourte arrachée du sol s'envole comme une soucoupe.

Jour 4 : Encore un jour offert au néant. Je passe une immense dépression de terrain sableux planté de saksaouls [1]. Ces heures dans les saksaouls sont comme une déambulation dans un cimetière où les

1. Plante saline de forme arbustive.

morts tendraient leurs griffes pour arrêter le visiteur. Parfois je regarde ma montre et m'aperçois que je l'avais consultée dix minutes auparavant. Le soleil me cuit le matin à gauche et le soir à droite : c'est le destin de quiconque voyage tout droit vers les terres australes...

Je pense à ce que les hommes en fuite ont dû souffrir ici. Car ces journées ne sont pas très plaisantes, même pour moi qui voyage de mon plein gré et dans des conditions de luxe avec cheval, bidon d'eau, poésie, cartes... Comment me plaindrais-je ?

Jour 5 : Je chevauche douze heures pour rejoindre le puits suivant. Je m'enfonce de plus en plus dans mes pensées. Elles m'isolent du désert. J'ai les lèvres ensanglantées par le rayonnement solaire. La graisse de chameau que je conserve dans un petit tissu n'y fait rien. Du coup, quand il me vient une pensée drôle, je ne peux même pas rire à cause de la douleur. Au milieu du jour, je fais une halte : je m'assieds sur le cailloutis, cheval tenu à la bride, je tire de mon sac quelques fromages secs, un demi-pain et bois un litre d'eau. Le cheval lui, n'aura rien avant ce soir.

Le puits que j'atteins au crépuscule est vide de gens. Je crains pendant un instant qu'il ne soit tari. Fausse alerte. Bivouac. Je fais griller longuement mes pensées dans les flammes en regardant le feu. Belle nuit allaitée par la lune.

Jour 6 : J'approche de Gurvantès. Dans deux jours, sans doute. J'ai passé ce matin le 44e parallèle de latitude Nord. C'est à chaque fois une petite fête silencieuse et intérieure. Autrefois, au désert, je priais. L'éducation chrétienne vous apprend que c'est le lieu où jamais. Mais le Dieu des anciens jours a déserté mon cœur. Je contourne un talus de 100 mètres de haut qui encadre une cuvette sableuse. Étrange géologie. Strates rouges et ocre. Très loin, à cent kilomètres, j'aperçois une montagne noire. Gurvantès est au pied et la frontière chinoise à deux ou trois jours de là. Le soir : un puits presque à sec. Personne... J'entrave ma bête, je construis un feu de saksaoul, je fais cuire ma soupe aux nouilles (j'aurai passé une partie importante de ma vie à manger des soupes aux nouilles) et la veille commence, identique à celles qui l'ont précédée depuis douze mille ans que je chevauche ici.

Jour 7 : Un cadavre de chameau. Un grillon. Des saksaouls. Voilà tout ce qui est donné en pâture à mes yeux aujourd'hui.

Nous allons, le cheval et moi, puisque nous mourrons si nous n'allons pas.

Jour 8 : Le vent, le vide. La lumière. Les souvenirs montent en moi. Les regrets, les amours, les espoirs, les rêves et les peines. Tout ce fatras traîné dans le sillage d'une vie et contenu dans la boîte en os du crâne comme dans une malle d'archives. Une tête en voyage est une cantine d'exode remplie de vieux papiers. On la transporte partout, on y puise des souvenirs comme on fouillerait dans une caisse. La mémoire, au secours de la solitude.

Un défilé naturel transperce une sombre butte. Un puits. J'entends l'écho des aboiements de chacals répercutés sur la paroi. Musique du désert qui aurait figuré dans les chroniques des anciens caravaniers de la soie au chapitre « Mystères et diableries survenus dans un pays du nom de Gobi à l'est de la Tartarie affreusement païenne ».

J'installe mon dernier bivouac avant Gurvantès. Ombre chinoise de mon cheval entravé. Puis la lune rousse, énorme, enceinte de lumière.

Jour 9 : L'aube bleue, puis rose, puis blanche comme toujours. Gurvantès enfin. Dix bâtiments sur le tapis des steppes et quelques yourtes empalissadées. Je ne reste au village que le temps d'abreuver mon cheval (toujours pas de nom), d'y remplir mes bidons et d'y acheter quelques vivres.

On m'explique que le village-frontière de Sheevehuren n'est plus qu'à une journée et demie de cheval mais que les soldats qui le gardent ne laisseront pas passer un étranger. Ne jamais écouter les pessimistes même si ce sont eux qui ont toujours raison. (À ce propos, cultiver la devise de Gramsci : « vivre dans le pessimisme de l'esprit mais l'optimisme de la volonté ».) Une piste parcourue par des véhicules militaires mène jusqu'au poste frontalier. Pour ne pas faire de mauvaises rencontres je chevauche en plein glacis, très loin de la route. J'avale trente kilomètres au GPS pour échouer, épuisé, dans un campement d'éleveurs de chameaux. J'aide à rentrer le troupeau. Une fois toutes rassemblées, les bêtes forment un îlot mouvant, malodorant. Je m'endors sous la yourte en pensant à la laideur du chameau, et je me dis qu'en le voyant toutes les plantes s'enfuirent, et ce fut le désert.

Frontière sino-mongole. Des baraquements militaires. Des antennes et des paraboles. Des drapeaux. Des factionnaires. Je n'ai jamais rien vu de ma vie qui ressemblât autant à une Tartarie buzzatienne. Je comprends vite que je ne passerai pas. Le refus est formel. J'insiste. Le colonel de la place me reçoit.

– Le poste n'est ouvert qu'épisodiquement pour permettre aux commerçants chinois et mongols d'écouler leurs marchandises. La frontière est fermée aux étrangers.

J'obtiens qu'il téléphone à Oulan-Bator, au ministère des Affaires étrangères, pour demander une faveur. Pour une fois, l'obstination ne paie pas. Le verdict tombe, à la fin du jour.

– Vous ne passerez pas.

Il me suffirait certes de chevaucher une dizaine de kilomètres le long de la frontière et, une fois hors de vue, de passer en Chine, incognito, comme un cavalier touranien [1] considérant que la Tartarie n'a pas à souffrir qu'on la strie de frontières. La clandestinité donc. Choix qui serait stupide car deux mois et demi de voyage m'attendent en Chine et, être arrêté là-bas sans papiers en règle signifierait (au mieux) l'expulsion et la fin du voyage. Je dois donc me résoudre à la seule solution possible : contourner l'obstacle, c'est-à-dire revenir à Oulan-Bator, en train et en camion, et de là, gagner le Ganzhou, traverser la portion de Gobi chinois et me présenter de l'autre côté de la frontière pour pouvoir reprendre ma progression sans interrompre le fil de mon tracé. Deux mille cinq cents kilomètres de boucle pour deux ou trois mille mètres de bande frontalière interdits !

1. Le Touran est l'ancien empire correspondant aux territoires turcophones.

Dans l'éclaboussure du crépuscule, je reviens à contrecœur vers la famille chamelière qui m'a accueilli la nuit dernière. Je rumine mon malheur. Et sens d'un coup peser sur mes épaules le poids des semaines de progression solitaire où, tendu comme un arc vers le but à toucher, je n'écoutais pas les plaintes de mon corps. Dans l'accablement qui m'envahit soudain, l'énergie déserte mon être, la flamme aventureuse s'éteint, soufflée par ce revers et je sens mon âme glisser sur ce versant du désespoir qui la fascine tant par ailleurs et dont je dois l'écarter en permanence. Mon corps a vieilli depuis le mois d'août. Je pleure une ou deux larmes. Sans doute deux. Une pour le dépit, une pour la rage.

Dans les bureaux du casernement, j'ai fini tout à l'heure par exploser devant le colonel, déversant d'un coup mon mépris pour la bureaucratie, ce qui a provoqué mon expulsion des lieux sans ménagement, avec ordre catégorique de vider la région. Et me voilà donc, triste à mourir, chevauchant dans la nuit qui tombe, victime de l'absurdité des administrateurs qui dressent au milieu des déserts des remparts abstraits. Autrefois c'était la grande muraille qui, quelques centaines de kilomètres plus au sud, était destinée à arrêter les Mongols (c'est-à-dire tout barbare venant du nord). Aujourd'hui, pour barrer la route, il suffit d'un trait sur une carte et du zèle de factionnaires ensablés. Ayant pris soin la veille, ainsi que je le fais à chaque halte, de relever la position satellite de la yourte aux chameaux, je réussis à la rejoindre de nuit. Le jour suivant, le maître du campement m'accompagne à cheval jusqu'à Gurvantès; de là, avec un peu de chance, si je trouve un véhicule, je pourrai rejoindre Oulan-

Bator assez vite. Je ne desserre pas les dents de tout le jour et je crois qu'un an après on voit encore la trace du sillon que l'écœurement creuse entre mes sourcils ce jour-là. L'éleveur, lui, sifflote, l'air guilleret : je lui ai promis de lui donner le cheval.

Gobi chinois, Tsaïdam, Tibet

8
Gobi

septembre

Me voilà ainsi contraint à deux mille cinq cents kilomètres de contournement. Dix jours perdus pour quelques arpents de zone frontalière ! Je suis tel un Parisien forcé de passer par Stockholm pour gagner Notre-Dame depuis la tour Eiffel.

J'ouvre la parenthèse de cet interlude :

Quittant les parages frontaliers vers le nord, je reviens sur mes pas, traverse le Gobi et gagne Oulan-Bator *décharné, dénervé, démusclé, dépoulpé* (Ronsard), après plus de quarante-huit heures de lutte à bord d'une noria de véhicules dont le plus récent remonte au regel brejnévien. Sans même avoir le temps de saluer Amaara, je saute dans le premier train pour la Chine et partage mon compartiment avec deux Chinois. L'un a le bras cassé et l'autre l'épaule moulue : je crois comprendre qu'ils sont tombés de leur couchette à l'aller, mais ils me livrent leurs explications en chinois et ils peuvent tout aussi bien me raconter autre chose. Je passe la frontière et je poursuis ma course. Un train pour Hohotte ! un train pour Lhanzou ! Troisièmes classes pour Jiayouguang ! Je couche dans les gares, j'avale des soupes pimentées qui me laissent sonné, je passe commande de mes billets dans des pantomimes éperdues. Je retrouve le « Tan Taran Tatan Taran Tatan » des trains de Sibérie (la terrible mesure de Prokofiev). Dans les compartiments ouverts à huit places, conçus sur le modèle russe, les haut-parleurs de la compagnie crachent matin et soir de la musique classique. Un jour la *Lettre à Élise*, en boucle pendant quatre heures ! Une autre fois l'ouverture de *La Pie voleuse*, à six heures du matin ! Plein tube ! Ah quelle agréable chose qu'une dictature mélomane ! Mes voisins de couchette sont prévenants. On me choie. On est gentil. Je n'avais plus souvenir que les Chinois fussent si aimables. On veut me faire connaître des spécialités. On me tend à manger. Des découvertes ! De la gastronomie locale ! Des spécialités qui ressemblent à des échantillons de collection de Muséum d'histoire naturelle, enveloppés dans des cellophanes. On veut m'abreuver aussi. Le Chinois boit continuellement un âcre thé vert. Je n'aime pas le thé que je trouve ennuyeux. Je refuse les tasses que de charmantes hôtesses poussant des cantinières de wagon en wagon tiennent à me faire avaler par intervalle de cinq ou six minutes. J'ai réussi par miracle à acheter à Oulan-Bator, dans une édition bilingue franco-russe, un recueil des nouvelles complètes de Théophile Gautier. Je n'en sors pas. J'y trouve tout un monde de jeunes filles évaporées développant sur le piano de la vie les gammes de leurs âmes vierges en compagnie de duellistes florentins et d'archiduchesses slaves au bord de s'évanouir. Je lis ces merveilles pendant qu'autour de moi les Chinois crachent, hurlent, sirotent leur thé à grands lapements et que, « Tan Taran Tatan », la Chine défile à soixante à l'heure. Je n'ai qu'une hâte : quitter cet enfer, fuir la foule, le fracas. Trop de bruit, trop de gens, trop d'yeux. Retrouver le désert, la solitude. Le vide et le silence : toutes choses dont ce peuple a horreur. Terminus : Jiayouguang, ville importante du Gansu chinois située à la lisière sud du Gobi et qui se trouve exactement sur la longitude du point que je convoite, à la frontière mongole. Le matin même de mon arrivée, j'achète en deux heures un bon vélo chinois dans le plus gros magasin de bicyclettes de la ville et affrète une jeep pour me convoyer dans le désert de Gobi. La Mongolie n'est qu'à quatre cents kilomètres plein nord. Deux routes possibles y mènent : l'une interdite aux étrangers pour des raisons militaires. L'autre, piste abandonnée n'offrant les ressources que d'un seul village entre la frontière et la fin du désert. Le chauffeur conduit dix heures de suite dans un Gobi horriblement sublime. À vingt heures, trois kilomètres avant le premier barrage frontalier, il me dépose sur le bord de la piste et s'en retourne. Je fixe mes huit litres d'eau sur le vélo. Je jette un regard vers la Mongolie toute proche. Il y a dix jours, j'étais arrêté avec mon cheval à cinq kilomètres plus au nord. Il fait presque nuit. Je donne le premier coup de pédale. Vers le sud, le Tibet et la liberté.

Et je ferme la parenthèse de l'absurde contournement.

J'ai eu la mauvaise idée de vouloir rouler à travers le glacis. On est toujours trop impatient. La route décrit en effet une courbe de cent kilomètres et je pensais gagner du temps en coupant. Mais la croûte noire de la pénéplaine n'est pas toujours solide. Mes roues s'enfoncent dans le cailloutis de graviers patinés, faux caparaçon qui cache une strate de lœss et cède à la moindre pression comme la croûte d'un gâteau meringué. Je dégonfle mes pneus à moins de deux bars. Malgré cette précaution, j'ai la sensation de devoir arracher chaque coup de pédale à de la glu. Comme on croit toujours que les choses s'arrangeront devant soi (c'est ce qui maintient l'humanité en vie), je continue d'avancer mètre après mètre en espérant un durcissement du terrain, lequel, en fait, ne viendra jamais. Ce soir-là je n'abats que dix-huit kilomètres avant la nuit. Je suis heureux de m'épurer dans l'effort des scories accumulées pendant ces dix jours sur les routes et les voies ferrées de Chine.

Je dors à la belle étoile. Par l'ouverture de mon sac de couchage, je regarde les satellites traverser les prairies lactées. Je passe une de ces nuits splendides qui me seront « défalquées sur ma portion de paradis », comme disait Théophile Gautier dont j'ai dû laisser les œuvres, trop volumineuses, à la gare de Jiayouguang.

Je me réveille ce 30 septembre dans un paysage hostile, endeuillé. Mes yeux ne distinguent que du gris. Gris le sol, le ciel, les vilaines nuées au loin, le buisson mort, la cendre de mon feu, et grise l'humeur qui m'habite quand je comprends en regardant siffler la poussière à la surface du glacis que le vent me sera contraire. La semaine qui se prépare va me coûter un genou en plus des larmes. C'est à cause du vent. Il se lève avec le soleil, il se nourrit de la lumière, il souffle du sud et ne faiblira pas pendant six jours.

J'attache avec précaution mes réserves d'eau – il me reste six litres – et, tête baissée, je me lance dans ma charge contre le vent. On est toujours perdant à ce genre de tournoi. Non content de vous ralentir, le vent (pour peu qu'il soit contraire) est un fluide délétère qui rampe dans l'âme et la vide de son énergie, il s'immisce dans l'esprit pour en devenir l'unique préoccupation, il caresse le corps entier, indifférent à la haine que lui voue chacune des cellules de la peau, il sape l'élan vital de celui qui l'affronte. C'est le pire ennemi, le plus constant, suprêmement invisible. « Le vent est le soupir du diable », dit le proverbe chinois (inventé par mes soins pendant ces heures maudites).

À midi je quitte la surface du glacis et rejoins la piste, ruban de cailloutis et de lœss mêlés. Les rafales sont parfois si fortes qu'elles me désarçonnent. Le vent n'est pas un courant d'air. C'est une large main qui repousse. Un filet à mailles étroites... Pour ajouter à la difficulté, mes roues s'enfoncent dans les bourrelets de graviers ou bien s'échouent dans des flaques de lœss. Je chevauche un vélo mais il me semble tirer un boulet. Je fournis le même effort que si je gravissais une très forte pente. Je finis par aller à pied, marchant légèrement de travers, en biais, appuyé sur le vent qui, finalement, me sert à quelque chose.

Après six heures de progression où la rage me fait l'effet du knout, je m'effondre derrière un petit talus couronné d'un précieux saksaoul (le seul à la ronde) et m'endors, indifférent au vent. (Le sommeil confirme une fois de plus qu'il est la solution à toute adversité.) Puis je reprends ma croix et pour quatre nouvelles heures entreprends de couper à chaque pas une brèche nouvelle dans le rempart du vent. L'améthyste rose que je découvre sous mes pas me signale que tout n'est pas gris dans ce désert horrible et m'aide à accepter ce que je découvre quand la nuit tombe : je n'ai enlevé que trente kilomètres en huit heures d'efforts.

Les six jours que je consacre à la portion de quatre cents kilomètres de Gobi chinois se ressembleront : un tourbillon de rafales soufflées sur un océan de gravillons contre la voile de ma volonté. Chaque matin se lève sur le triptyque du lœss, du vide et du vent. Et, la nuit, c'est le tête-à-tête renouvelé avec les champs d'étoiles dont la beauté interdit qu'on ferme les yeux. Et le tout dans la solitude qui est le plus beau cadeau qu'on puisse offrir à l'âme.

L'aridité gagne en sévérité à mesure que je descends vers le sud. Le désert chinois est une bête morte qui montre son dos nu. En Mongolie parfois, les touffes de plantes faisaient comme des pustules sur la carapace. Ici, il n'y a même plus de buissons. Au milieu d'un jour, cependant, j'aperçois une sorte d'oued asséché et planté d'arbres qui ressemblent à des acacias. Ils atteignent jusqu'à trois mètres de haut. Pas d'eau. Rien de commun en tout cas avec la région que Rawicz prétend avoir découverte. Faut-il que son souvenir ait été altéré pour qu'il se soit risqué à décrire « un point d'eau planté de palmiers ». Le Gobi chinois ne dispense pas de telles merveilles. Les seules réserves d'eau naturelles sont constituées par des dépressions d'argile, vasques qui se remplissent d'eau à la faveur d'un orage et que l'évaporation vide en quelques jours. J'en dénicherai quelques-unes qui me permettront de recharger mes bouteilles.

Je n'ignore pas Eberhardt et je sais le danger de sommeiller au fond des oueds, mais un soir, j'y jette quand même mon bivouac pour me soustraire aux sifflements du vent. Je construis un maigre feu avec les racines de Saksaoul que je trouve et y fais chauffer une des trois soupes aux nouilles qui constituent, en plus des prunes chinoises séchées, ma ration quotidienne. Les autres soirs, je jouis d'un de ces plaisirs élémentaires qu'offre le voyage dans des déserts très uniformes : celui de jeter ses hardes sous soi, sitôt le soleil disparu, sans avoir à chercher de terrain favorable à la halte, puisque chaque arpent de sol est rigoureusement identique aux autres.

À l'aube, je suis victime du tour que me joue mon inconscient (à moi qui me targue de ne pas en avoir !). Par cinq fois, je me lève et me prépare à partir jusqu'au moment où je m'aperçois en sursautant que ce n'était qu'un rêve cinq fois recommencé. Je suis en réalité si assommé de fatigue que mon psychisme invente ce stratagème pour calmer ma volonté qui, elle, hurle de s'en aller, de s'arracher au confort du bivouac.

Le désert change au fil des kilomètres, les larges cuvettes aplanies sous le rabot des âges, couvertes de graviers tamisés par le vent, se sont soulevées en ondulations régulières que crève parfois un relief acéré. Le quatrième jour, tout se tourmente. Le Gobi prend l'allure du fond de chaudron d'un cuisinier du diable et comme il n'a que les formes et les couleurs pour peindre son histoire, il dispose sur la plate-forme du sol les croûtes rouges des roches oxydées, la sculpture torturée des pitons rocheux, les plaques noires de la patine. La piste s'enfuit vers le sud, zébrant le paysage, cette parcelle de lune descendue sur la terre. Puis la lointaine crénelure d'un haut-relief remplace progressivement la ligne rectiligne de l'horizon que j'avais devant les yeux depuis des semaines. Serait-ce la même chaîne de montagnes que Rawicz aperçoit un matin « voilée d'une brume bleue pareille à une fumée de tabac » et qui annonce la fin du Gobi ? Pour le Polonais, la vision était d'importance car elle annonçait la fin de l'enfer. La traversée du Gobi constitue en effet le sommet mystique de l'évasion de Rawicz, car c'est dans le ventre du désert que les fugitifs, devenus aussi chancelants que leurs ombres, soumettront leurs corps presque morts à la détermination de leur âme et prouveront que la volonté en fusion peut tordre le fer de l'impossible. Nourris de serpent, mâchant de la boue pour en extraire l'eau, démunis de tout récipient, ignorants jusqu'à la taille du désert qui les a happés, les huit cadavres vivants ramperont plus qu'ils ne marcheront pendant un nombre de journées dont Rawicz avoue avoir perdu très vite le décompte. Deux des bagnards ne survivront d'ailleurs pas à l'agonie, parmi lesquels Kristina, la jeune fugitive polonaise du Baïkal, pour laquelle tout le groupe concevait un amour fraternel. La scène du sobre enterrement de la jeune fille au pied d'une dune (encore une !) est un des plus grands moments de souffrance d'*À marche forcée*.

Si les longues journées que je passe au Gobi n'atteignent pas l'intensité douloureuse de celles qu'y connut Rawicz, du moins suis-je ébranlé au plus profond de mon corps par l'effort que je fournis. Les larmes qui me coulent quand le vent est trop fort ne sont rien car elles sèchent à mesure que les rafales les provoquent. Plus grave : les kilomètres de bicyclette dans le lœss sont en train d'affecter mon genou droit sans que je m'en rende compte. Signe de mon degré d'épuisement : le soir, lorsque j'installe mes hardes sur le sol, je m'endors avant même d'avoir songé à me nourrir.

Le puits du kilomètre 163, indiqué sur ma carte, ne fait pas défaut. J'y arrive dans le milieu de l'après-midi et y décide une halte prématurée pour m'octroyer un peu de repos.

C'est le surlendemain que je retrouve les Hommes en rejoignant la province du Gansu, territoire qui marque la fin du désert. Le Gansu s'étire d'est en ouest en une longue bande de champs cultivés : il borde en la soulignant la lisière méridionale du Gobi. De très loin on distingue un rideau de peupliers et, quand on le passe, c'en est fini de l'aridité : la vieille Chine agricole reprend possession de la géographie. Le goudron apparaît en même temps que les premiers champs de coton. Des femmes travaillent à la récolte. Les villages agrestes se succèdent. J'avais presque oublié la musique du vent dans les houppiers : je me rends compte qu'il fait le même bruit que la vague de mer sur un parterre de coquillages. Les odeurs végétales exhalent dans l'oasis un parfum de pourriture un peu scandaleuse qui n'est autre que l'odeur de la vie.

Les Chinois ont poussé jusqu'à la perfection l'art d'exploiter le moindre pouce carré de leur terre : les paysans du Gansu organisent ainsi des cultures mixtes et sèment du maïs sur les billons qui séparent les sillons plantés de coton. Ils procèdent à l'image de ces Pachtounes d'Afghanistan qui, par un admirable souci de pudeur paysanne, entourent les champs de pavot d'un rideau de blé dru. Les cultivateurs chez qui je fais halte pour me gorger du plaisir de siroter un thé sous une treille fruitière balancée par un léger souffle m'offrent des poires et du maïs grillé. Tous me témoignent une affabilité qui corrige mes mauvaises dispositions à l'égard des Chinois, nées de quelques malentendus fâcheux au cours de voyages de jeunesse trop rapides pour être honnêtes. Je jouis de l'oasis. La théorie des contrastes veut qu'on apprécie à une valeur très haute ce dont on a été longtemps privé : je suis largement récompensé par ces retrouvailles avec l'abondance des longues heures de peine solitaire sur la croûte stérile du Gobi.

Le Gansu est l'une des failles du récit de Rawicz. Il n'y a pas une ligne consacrée à la région dans le livre. Le Polonais semble avoir abordé les premiers avant-postes montagneux du Tibet, sitôt sorti du Gobi, sans jamais traverser aucune bande agricole. Or, toute ligne tracée sur une carte entre la Sibérie et l'Inde (et donc tout itinéraire qui s'y superpose) croise forcément de part en part, du nord au sud, le couloir historique du Gansu. Peuplée de longue date, parcourue autrefois vers le couchant ou le levant par les caravaniers de la soie qui en empruntaient les nombreuses routes, constellée de villages et de places fortes disposées le long de la muraille de Chine, la province du Gansu ne peut pas se rater ! La question me préoccupe comme je roule sous les ombrages, le long des canaux. Comment avoir réussi à ignorer ce havre ? Énigme d'autant plus obscure que pour quiconque vient de s'arracher au Gobi, la vue est inoubliable de ces arbres balancés dans un vent de fragrances, sonnant la fin des agonies. Peter Flemming qui releva les incohérences du récit de Rawicz insista sur la lacune du Gansu, s'étonnant que le Polonais n'ait pas coupé l'un des grands axes de communication – route, canal ou voie ferrée – qui strient la province. Pour moi, qui continue à accorder à Rawicz le double bénéfice du doute et de mon affection naturelle pour les conquérants de l'impossible, l'explication de ces anomalies tient dans le fait que le récit a été écrit sans l'appui d'aucune note, dix ans après les faits, par le truchement d'un journaliste (Ronald Downing, à qui Rawicz « exprime sa reconnaissance » en exergue du livre) ; conditions d'écriture fatales à la précision et à la rigueur. D'autre part, il faut se souvenir que le livre est publié dans les années 1950, c'est-à-dire à une époque où le souci d'exactitude dans la relation de voyage est certainement moins fort qu'aujourd'hui. Songeons qu'en 1950 le nombre d'explorateurs à avoir traversé le désert de Gobi ou le Tibet est infime. Le temps n'est pas au tourisme de masse qui offre aujourd'hui à chacun la possibilité de se propulser d'un coup d'aile d'avion dans des parages que Sven Hedin, Roerich ou Prjevalski mettaient des mois à atteindre. L'auteur des années 1950 livre donc son récit à des lecteurs qui ne peuvent pas vérifier ce qu'il raconte. Il n'est pas soumis à une exigence de véracité absolue. Il appartient à une lignée d'écrivains-voyageurs née avec Marco Polo où l'on agrémentait ses chroniques de voyage d'épisodes imaginaires, de dragons et de chimères (Rawicz, plus loin, rencontrera le yéti...). Pour l'écrivain du

Moyen Âge comme pour celui de l'après-guerre, place est encore possible pour l'affabulation, l'imprécision, l'imaginaire ; vices que ne pardonne plus l'époque contemporaine. Rawicz est sans doute l'un des derniers auteurs du siècle à laisser son récit s'engager de temps en temps sur un terrain semi-fantasmagorique. Soixante ans après, on attend – avec raison – des voyageurs qu'ils disent la vérité et décrivent leurs périples avec la précision du greffier.

C'est en refermant la parenthèse de ce petit aparté intérieur (à verser au dossier que j'instruis en pensée et en permanence sur l'affaire Rawicz depuis mon départ) que je parviens à la nuit tombante dans la ville de Jiaquan.

La route qui mène de Jiaquan à Jiayouguang traverse une section de la Grande Muraille. J'en visite un tronçon : chicot de torchis planté dans la gencive d'un champ cultivé. Au sommet des crénelures se dévoile l'effrayant horizon du désert. Pouah ! Je ne veux plus de ces visions mortifères. Je reporte mon regard vers les verdures. Je m'aperçois combien je suis un être sylvestre.

La Muraille de Chine était un récif chargé d'arrêter les houles désertiques en même temps que les hordes steppiques. Aux détracteurs de Rawicz qui contestent sa traversée du Gobi on pourrait opposer l'argument de la Muraille : n'est-ce pas contre l'envahisseur du nord qu'a été bâti ce cordon de défense, contre les cavaliers des steppes que les Chinois savaient capables de vaincre le désert ! En son existence même réside la preuve que le Gobi n'est pas un écran infranchissable entre le royaume nomade mongol et l'empire céleste, mais un trait d'union, un tampon perméable dont on ne comprend pas pourquoi, s'il se laissait parcourir par les hordes cavalières, il n'aurait pas permis le passage à une bande de bagnards inconscients. Si Gengis Khan a pu, pourquoi pas Rawicz ?

À Jiayouguang, je me force à vingt-quatre heures de halte, en proie à deux inquiétudes. La première tient dans le fait que je m'approche du Tibet sans posséder la moindre autorisation d'y entrer. J'évacue vite cette préoccupation en me souvenant que, ces dernières années, j'y suis toujours entré sans jamais rien demander aux Chinois qui s'en sont autoproclamés les gardiens. Ce serait un comble de partir sous la bannière de la liberté tout en ne cessant de quémander aux autorités le droit d'accomplir le moindre pas. D'autre part les Chinois n'exercent pas une surveillance très stricte de leurs territoires frontaliers ; les marches, dans leur esprit, ont valeur de tampons protecteurs, chargés d'isoler le centre névralgique du pays (la côte est) du reste du monde, de même que les parois de béton protègent le cœur du réacteur dans une usine nucléaire.

Mais c'est mon genou droit qui m'ennuie le plus. Je hais les grains de sable qui enrayent les mécaniques. J'aime que tout baigne dans l'huile. J'étais fait pour l'horlogerie et voilà que je boite. Les plaintes que lançait mon articulation dans le Gobi sont devenues des décharges douloureuses. Fidèle à ce principe qu'il faut mépriser les alarmes de son corps en lui déléguant le soin de se réparer seul, je me contente d'une journée de repos. J'ai trouvé à me loger dans la salle des professeurs d'une jolie école délicieusement boisée. Quand les cinq Chinois entrent dans la pièce à neuf heures du soir, avec leurs instruments de musique, je comprends que la nuit réparatrice dont je savourais la perspective est à oublier. C'est aujourd'hui jour de répétition. Crissement des violons, ululement des flûtes : affreux miaulement. Une muse qu'on égorgerait. Stradivarius à la torture. Hagard, réfugié dans mon sac de couchage, je ne parviens pas à fermer les yeux car me viennent des images de chats soumis à la géhenne. Totalement fermé à toute tentative d'enrichissement culturel, j'attends que passe l'orage. Seul le bernard-l'ermite peut survivre au barrissement de l'éléphant. J'apprends en partant le lendemain que les Chinois ont été très déçus de mon comportement car c'était en mon honneur qu'ils s'étaient réunis.

Je pédale dans un vent à débosseler les chameaux de Bactriane que je croise sur la route. Les Gansunais (est-ce ainsi qu'on nomme les habitants du Gansu ?) les attellent comme de vulgaires ânes et je trouve que c'est faire insulte à ces vaisseaux des déserts, nefs de fourrure, que de les corseter entre deux brancards. Traînant carriole ou non, les chameaux avancent avec une délicatesse de chat, comme si le désert était un tapis d'œufs frais. Je les trouve plus nobles encore que des drakkars et, dans leurs cils de femme, il y a ce mépris qu'affichent certains princes saoudiens pour tout ce qui ne vient pas du sable.

Le vent est contraire. S'il ne l'était pas, gageons que je serais en train de pédaler dans l'autre sens puisque le vent est toujours contraire et que, comme disait Montherlant, nous allons mourir avant de l'avoir tué. Le Gansu est adossé en sa rive sud à une chaîne culminant à 6 000 mètres. C'est avec l'intention de la franchir que je pédale cinquante kilomètres comme un forcené sur une piste pentue qui s'enfile plein sud dans la montagne comme une venelle dans la masse d'une citadelle. La ville de Jutianshan, que j'atteins le soir, offre le spectacle d'une métastase de béton enkystée au fond d'une gorge. Je gagnerai trois choses à cette étape forcée.

– La contemplation d'une montagne si tourmentée par les âges que tous les fronts de ses versants sont plissés.

– L'interdiction de continuer plus avant et l'ordre de rebrousser chemin intimé par les services de la police sanitaire, lesquels sont déployés dans toutes la région pour lutter contre une double épidémie de peste et de SRAS.

– Une dégradation alarmante de l'état de mon genou que je n'ose même plus mettre à contribution, pédalant presque uniquement de la jambe gauche.

Ainsi refoulé par la pandémie, je regagne le lendemain le fond de la cuvette par une longue descente. J'emploie trois jours à traverser vers l'ouest une surface aride que fend une piste reliant Yumen à Subei le long des piémonts des Qilian. Je laisse au nord un chapelet de villes industrielles, noires de suie, tapies sur la paume du sol, couronnées par une bulle de vapeur sulfureuse. Le vent d'ouest se lève sur la plaine et la haine du vent d'ouest en mon cœur. Quand les rafales sont trop violentes et me clouent, je dois marcher, la tête baissée pour me protéger des flèches de sable qu'elles décochent. Je bivouaque le soir loin de la piste au pied de dunes. Des sommets englacés occupent, très haut, le second étage du ciel. Le vent tombe avec la nuit, me redonnant espoir. Mais à l'aube il revient à la charge, charriant le découragement dans son sillage. Je ménage mon genou, mais invariablement, vers le trentième kilomètre, la douleur, que la nuit avait apaisée, se réveille et je parviens à la contenir tout comme on maintient une bête dans ses retranchements avant l'attaque finale.

Dunhuang. Oasis sur la route de la soie. Des champs de coton, des peupleraies et tout un peuple besogneux de Chinois à chapeaux de paille qui s'affairent dans les parcelles sans jamais tourner les yeux vers l'horizon où des dunes géantes marquent la limite de l'effort de l'Homme. Je suis tombé sur le bord de la route au moment d'atteindre les premiers champs. Un éclair m'a déchiré la jambe. J'ai eu la sensation qu'un coin de métal me fouaillait le genou. Je gémis non pas tant à cause de la douleur qu'à cause de ce qu'elle signifie : la fin du voyage. Car je sens que ce qui se trame sous le couvercle de ma rotule n'est pas un mal bénin et qu'il sera longtemps avant que je puisse reprendre l'avancée. Une pensée indigne me traverse l'esprit mais s'y imprime suffisamment pour qu'elle me revienne, plusieurs mois après : j'aurais préféré perdre un bras ! Je me relève, fais un pas et reçois une décharge atroce qui confirme ce que j'ai compris :

Ici mon chemin s'achève. J'ai échoué à mi-route...

Il me faut deux heures pour rejoindre le centre-ville, à pas comptés, arc-bouté à mon vélo. Dix fois des camionneurs se portent à ma hauteur et me proposent de me charger et il y a même un paysan pour me faire signe de monter dans sa carriole attelée à un chameau. Dix fois je refuse. Je ne veux parler à personne ni même croiser le moindre regard. Je désire juste m'allonger quelque part et que les jours me passent sur le corps et que mon genou se remette et que je puisse recommencer à faire la seule chose qui ait un sens : avancer.

L'hôtel est propre. Pièce blanche comme un hôpital. Deuxième étage. On ne m'a pas aidé à monter mon vélo et mon sac en haut mais il est vrai que je n'ai rien demandé et que d'ailleurs j'aurais refusé. Il m'a quand même fallu vingt minutes. À présent je gis. Et je réfléchis. Combien de temps supporterai-je d'attendre la rémission. Y en aura-t-il seulement une dans les jours qui viennent ou bien mon mal est-il de ceux qui nécessitent des semaines de convalescence ? L'hiver qui va bientôt frapper aux portes du Tibet me laissera-t-il passer ? Vais-je arriver à temps au pied de l'Himalaya ? Je songe à la blessure de guerre de Rawicz qui se réveillait après les longues étapes et lui mettait la cheville à la torture. Lui n'avait pas d'autre choix que de continuer. Un évadé vit sous le commandement de ce même principe qui régit l'existence du requin. Ce dernier ne possède en effet pas les muscles nécessaires pour faire circuler l'eau dans ses ouïes. Il est donc contraint d'avancer sans cesse pour que l'oxygène passe en lui. S'il s'arrête, il meurt. Même loi pour le fugitif. Quant à moi, qui ai le droit de faire halte où bon me semble, je ne crois pas avoir capitulé trop tôt devant la douleur. Je l'ai même ignorée pendant des jours entiers jusqu'à ce que mon corps lui-même déclare forfait. Je ne me suis pas arrêté : j'ai attendu de m'écrouler.

Amanda est américaine. Elle frappe à ma porte aux aurores.

– J'ai su que vous aviez un problème car je vous ai vu à la réception. Je parle chinois, je peux quelque chose pour vous ?

Je ne lui dis pas que c'est la deuxième fois en quatre mois que des Américains me proposent leurs secours.

– Non.

– On pourrait aller à l'hôpital, dit-elle.

– Non. Merci. Au revoir.

Les Américains ont ceci de commun avec l'artillerie lourde qu'ils n'abandonnent pas le tir avant d'avoir touché la cible. Le lendemain, elle renouvelle sa proposition. Cette fois je cède. À pas de vieillard, je la suis jusqu'au taxi. Direction l'hôpital central de Dunhuang.

– J'ai appris le chinois à l'université, dit-elle.

– Ah, dis-je.

À l'hôpital : radio, auscultation, massage, palpation. Je rentre dans ma chambre d'hôtel avec un diagnostic écrit en chinois qu'Amanda me traduit :

– Vous souffrez d'une « rupture du tricot des masses molles »...

– C'est joli.

– Le médecin vous recommande un mois d'immobilisation.

Trois jours passent. Je me morfonds sans bouger. Je repose comme un lézard sur mon lit, ingurgitant d'heure en heure les cachets aux herbes que le médecin m'a prescrits. J'avale également 2,5 grammes d'anti-inflammatoires par jour. J'ai enveloppé mon articulation dans trois couches de genouillères en néoprène et en tissu que j'ai achetées dans une pharmacie. Mais je n'ose même pas poser le pied par terre de peur de sentir ne serait-ce qu'un frémissement de douleur, lequel ferait voler en éclats le minuscule résidu d'espoir que j'ai réussi à conserver au fond de l'âme. Je veille, allongé sur le dos, l'esprit vidé, dans le silence de l'attente.

Quatrième jour d'immobilisation : la centaine d'heures déjà passées dans la solitude blanche de ma chambre ont permis à mon âme, à mon esprit, à mon expérience et à mon corps de tenir conseil et il est sorti de cette consultation une décision irrévocable : je me donne encore trois jours de ce régime puis je repars.

Cinquième jour d'immobilisation : le soleil de l'optimisme m'inonde. J'arriverai à Lhassa, fût-ce à cloche-pied. Après tout, les renonçants bouddhistes n'accomplissent-ils pas leurs pèlerinages en rampant ? Dans deux jours, genou remis ou pas, je dois réussir à faire un grand bond en avant. Certes, la traversée du Tibet n'est pas un programme de rééducation recommandé, mais je juge l'entreprise possible pour une simple raison : entre le lieu où la douleur m'a cloué au sol, à l'entrée de l'oasis de Dunhuang, et l'hôtel, j'ai réussi à accomplir quatre kilomètres en boitant. Il suffit de multiplier par cinq cents cette distance et je serai à Lhassa.

Sixième jour d'immobilisation : une Australienne, rencontrée dans la salle à manger de l'hôtel, me conseille de faire de la *méditation tantrique* pour mon genou. Il est urgent que je reprenne la route vers les grandes solitudes.

Dernier jour d'immobilisation : c'est une Anglaise, cette fois. Elle me parle de la sophrologie. Je n'ai jamais dormi dans un hôtel aussi mal famé...

Pour passer le temps, je note des considérations sur mes rencontres de Dunhuang : « Quand les vieilles filles des pays anglo-saxons atteignent l'âge du non-retour, elles se mettent à courir le monde en tout sens en proférant des inepties à la manière des prophètes hirsutes à qui le soleil a fait fondre le cerveau. » Demain le voyage recommence.

Seize kilomètres. C'est ce que j'ai réussi à faire en une matinée. La route longe la base du cordon dunaire, qui lui-même s'étire parallèlement aux monts Qilian, faisant à ces glaçures des piémonts de velours. Je marche tout le jour durant appuyé à mon vélo comme à une béquille roulante. Dans les maisons de retraite, les vieillards se précipitent à la soupe accoudés de la même façon à des déambulateurs et je suis persuadé que, pour certains, venir à bout du couloir qui les sépare de la salle à manger leur semble digne de la traversée du Tibet. J'ai fixé dix litres d'eau à mon vélo. Je ne crains donc pas de bivouaquer. Il semblerait, à en juger par l'étendue que j'aborde, que les déserts de Sérinde ne veulent pas mourir. Vers le sud, pourtant, ils seront contraints de s'effacer pour laisser le rempart des hautes montagnes défendre le plateau tibétain. Le désert luttera jusqu'au bout. Il lancera des assauts perdus d'avance contre les versants. Il essaiera de ses bras de dunes, de ses langues de sable de s'accrocher aux pentes rocheuses. Mais les dunes échoueront et s'arrondiront comme des vagues molles cependant que les neiges des Qilian se hisseront dans le bleu. Elles se confondront au ciel et on ne pourra discerner le point où le filigrane des crêtes se dissout dans l'azur du ciel. Le paysage s'étagera alors selon les canons de la perspective académique tels qu'on les enseignait au XVIIe siècle : de bas en haut et occupant le cadre de la vision à égale proportion se superposeront le rideau des arbres de l'oasis, le cordon de dune jaune, les reflets blancs des glaciers et le vide céleste.

Elle devait être mythique pour les évadés qui la découvraient, la vue des montagnes coiffant les sables mortifères dans lesquels ils avaient lutté : elle annonçait les hauteurs du Tibet et préfigurait l'Himalaya, dernière herse avant les Indes britanniques. Je vais vers ce rideau de neige qui ferme le panorama, aimanté par les lignes verticales des draperies, traînant la patte, prenant soin de ne jamais plier la jambe pour ne pas imposer à mon genou la moindre pression.

La route serpente entre les murailles de sable puis s'élève en pente ferme sur le glacis au bout duquel, comme un couperet, commence la paroi de neige.

Je quitte la plaine sans trop de regret. Une émotion quand même en songeant à Peillot, à Stein, à Lecoq, à Sven Hedin, ces archéologues du début du XXe siècle qui auraient vendu leur âme et donnèrent une partie de leur vie à la connaissance du trésor de la falaise de Dunhuang qui consistait en des centaines de manuscrits religieux et de fresques bouddhiques recelés dans une paroi percée de grottes érémitiques. Je n'ai pas voulu visiter le site pour préserver ma santé nerveuse. Car le spectacle que j'en ai vu de loin est désolant : les bétonneurs chinois ont coulé une chape d'enduit sur la falaise aux bouddhas et fermé chaque grotte par une porte blindée portant un numéro, comme une chambre d'hôtel. Ils ont encagé Bouddha. Coulé le Gautama sous le béton. Livré l'Éveillé en pâture aux visiteurs. Des flux de curieux, déversés par autocars, venus d'Europe ou de Shangai avec des chapeaux de plage et des lampes-torches vont et viennent sur les passerelles scellées à la paroi par les aménageurs. Tout bien pesé, on peut finalement se dire que les talibans ont commis un acte salvateur en mars 2001. Au moins les deux bouddhas de Bamiyan (canons de la beauté abattus par les canons de la bêtise) ont-ils eu une sortie honorable. Ils ont disparu dans un panache de fumée. Ce qui vaut toujours mieux que de finir en bête de zoo.

Ma convalescence dure dix jours sur cette route qui file droit comme une ligne de vie sur la paume d'un mort. Dix jours pour quatre cents kilomètres. Dix jours à boiter. Dix jours occupés à trouver en soi les ressources pour ne pas forcer le pas, pour ne jamais accélérer, afin de ne pas compromettre la rémission du corps. La jambe gauche, sur laquelle je reporte tout mon poids, a déjà forci considérablement.

Peu après le village d'Aksay, alors que je marche avec le pantalon retroussé sur les bandages de mon genou, une voiture s'arrête à ma hauteur. Une voyageuse occidentale sort la tête de la fenêtre et me lance :

– Vous ressemblez à un soldat blessé.

– Merci, dis-je, pour répondre quelque chose et ne sachant pas ce que dirait un soldat blessé.

Cette conversation profonde sera quasiment le seul échange avec un semblable au cours de ces dix jours passés dans la province du Qinghai jusqu'à la ville de Golmud. À partir du col de Dangin Shankou, j'égrène un chapelet de hautes passes toutes situées au-dessus de 4 500 mètres. En leur sommet, je jouis de visions mythologiques ; souvent il s'agit de cuvettes aplanies par le rabot du temps, hérissées d'îlots rocheux qui font des taches noires sur les glacis comme les points dessinés par les yacks sur un alpage brûlé. Et ce troupeau minéral, orienté par le couteau du vent qui érode les strates en leur imprimant une même inclinaison, semble tendre vers un point unique et désiré, comme si la géologie espérait atteindre une terre promise où elle aurait enfin le droit au repos.

Pas de végétation dans le paysage. Pas besoin de mentir. La végétation est le fard de la géologie. Elle a été créée pour en adoucir les contours comme le maquillage pour cacher les rides sur le visage des femmes. La beauté des Qinghai est une beauté du troisième jour avant que Dieu ne se mêle de ce qui ne le regardait pas et n'habille la terre de plantes. Une beauté nue.

Dans les rares villes que je traverse en prenant soin de ne pas m'y arrêter et qui portent nom de Wakhaize ou Da Qaidam, je note un phénomène nouveau en Chine : l'existence de cafés Internet où de jeunes garçons branlent frénétiquement les manettes de leurs consoles. Les gouvernements peuvent bénir ces instituts de lobotomisation en réseau. Car leurs jeunes clients ne sont pas prêts de refaire Tian'an-men. La « libération Internet » est la meilleure prophylaxie qu'on ait jamais mise au point contre la révolution.

Au sommet des cols, il y a souvent des camionneurs occupés à vérifier leurs freins. Ce qui est judicieux car, au-delà d'un col, où que l'on se dirige : cela descend. Comme eux, je resserre le câblage de mes freins et grimpe sur le vélo pour glisser dans la pente, sans pédaler. Mais souvent le vent du sud, plus fort que la pesanteur, m'empêche de jouir de la descente. À force de ne rien faire d'autre qu'avancer d'une seule jambe, je viens quand même chaque jour à bout de trente à quarante kilomètres : et ce sont des kilomètres de grande importance car ils sont volés à une route alignée comme un fil à plomb sur le 180e degré de la rose du vent maudit. Vers le sud, l'axe cardinal de la liberté.

L'énergie me manque souvent. Le vent me vide. L'altitude aussi. Et avec eux, la lumière si forte et la vision de la route qui fuse comme une balle perdue vers la cible de l'horizon. Entre les cols, je m'allonge sur le glacis, bras en croix, protégé du vent par mon sac et m'endors quelques minutes avant de reprendre le long dénombrement de mes pas. Car j'en suis à compter mes foulées pour tuer le temps. Quand vient le chiffre mille, je crie « un » dans le vent. Au chiffre « 10 », je sais que j'ai fait huit kilomètres et m'autorise à dormir cinq minutes [1]. Tout marcheur au long cours sait que l'algèbre peut venir à sa rescousse et a tenu un jour dans sa vie ce genre d'arithmétique salutaire.

Les nuits sont froides dans ma tente-tunnel, mais je n'ose pas imaginer la température qu'il fera dans quelques semaines, quand je me serai juché sur la table tibétaine. Pour l'heure, quand vient le soir,

1. Je compte 120 pas pour cent mètres.

j'ai à peine la force d'avaler un sachet de soupe aux nouilles crues et m'étends, étonné de ne pas entendre ma jambe droite grincer comme une planche de bois, et j'appelle de mes vœux le sommeil épurateur qui guérit les maux du corps, console les peines de l'esprit et lave les mauvais penchants de l'âme.

Est-ce la lenteur de ces jours de marche boiteuse ? Est-ce la beauté des Qinghai ? Est-ce la pureté que le froid confère à toute pensée ? Je songe de plus en plus souvent aux évadés. Et surtout à ce Ferdinand Ossendowski, géologue polonais, traqué par les rouges, lesquels dans les années 1920 menaient la guerre aux autres couleurs. Il s'enfuit de Sibérie vers les Indes anglaises, à travers la taïga, les steppes, le Gobi, le Tsaidam... sur les mêmes chemins de liberté que ceux de Rawicz. Il fut arrêté dans sa course au Tibet par des brigands-cavaliers qui chargèrent son escouade, le contraignant à se replier vers la Mandchourie. Son récit [1], sorte de « traité du rebelle des taïgas » relate une double évasion : l'une est aventureuse, temporelle, vécue dans la poussière des pistes avec les bolcheviks aux trousses. L'autre évasion concerne son âme. Ossendowski verra se confirmer ce bon principe selon lequel l'Asie centrale est la terre propice entre toutes à la révélation des âmes à elles-mêmes. Lui, l'homme de science, produit parfait de la vieille civilisation européenne, sciera chemin faisant les barreaux de la certitude, recevra quelques révélations spirituelles et chevau-

1. *Bêtes, hommes et dieux*, Ferdinand Ossendowski, Phébus, 2000.

chera, en plus de son propre destrier, les dragons de l'initiation occulte.

Une fourmi traversant un parvis de marbre rose dans un palais vénitien : voilà à quoi je m'identifie, clopinant misérablement au fond de la dépression du Tsaidam, vaste de plusieurs centaines de kilomètres et bordée au sud par les mythiques Kun Lun. Je trouve parfois inepte cette marche imposée à mon corps par ma volonté, mais j'efface vite ces doutes. Il me suffit de constater que pendant ces heures d'effort stériles, il n'y a pas d'espace pour une once de bassesse. Pas de turpitude. Pas le moindre gramme de la boue du monde. Pas d'interstice pour une pensée néfaste. Il n'y a place que pour l'effort pur, fourni dans un décor de premier matin, pour la contemplation et pour l'obstination. La grandeur des jours nomades, c'est qu'ils sont clairs comme le cristal. Sur la montagne, Nietzsche célèbre *la grande Santé*. Dans le Tsaidam, je vis la grande Pureté.

Seule entorse à ma félicité : les erreurs grossières de ma carte allemande. Je me jure de tuer au moins un cartographe à mon retour. En le faisant souffrir beaucoup. Sans savoir pourquoi, je me représente avec beaucoup de précision l'image d'un technicien gras, sentant la choucroute chaude et le parfum ranci, travaillant dans un cabinet de cartographie berlinois, traçant par-dessus la jambe sur une feuille au 1/500 000 des routes qui n'existent pas, des cours d'eau fantaisistes, reportant des villages imaginaires, parfaitement indifférent au sort du vagabond qu'il condamne par sa négligence à des bivouacs glacials sur des plateaux désolés.

Avant d'atteindre Golmud, ville importante située à 2 800 mètres d'altitude, je longe un chapelet de lacs ceints d'une couronne de phragmites jaunes d'or, je marche au fond d'une plaine morte et plate comme l'encéphalogramme d'un cybernaute, je dors sur la feutrine verte d'un billard américain dans la salle de jeux d'une maison de la voirie chinoise, et j'apprends de Chénier ce poème où la jeune captive murmure qu'elle ne veut pas « mourir encore ». Et c'est juste quand je sais la dernière strophe du poème que je passe sous une banderole tendue en travers d'une route plantée de peupliers déjà automnaux et qui proclame : « *Welcome in Golmud* ».

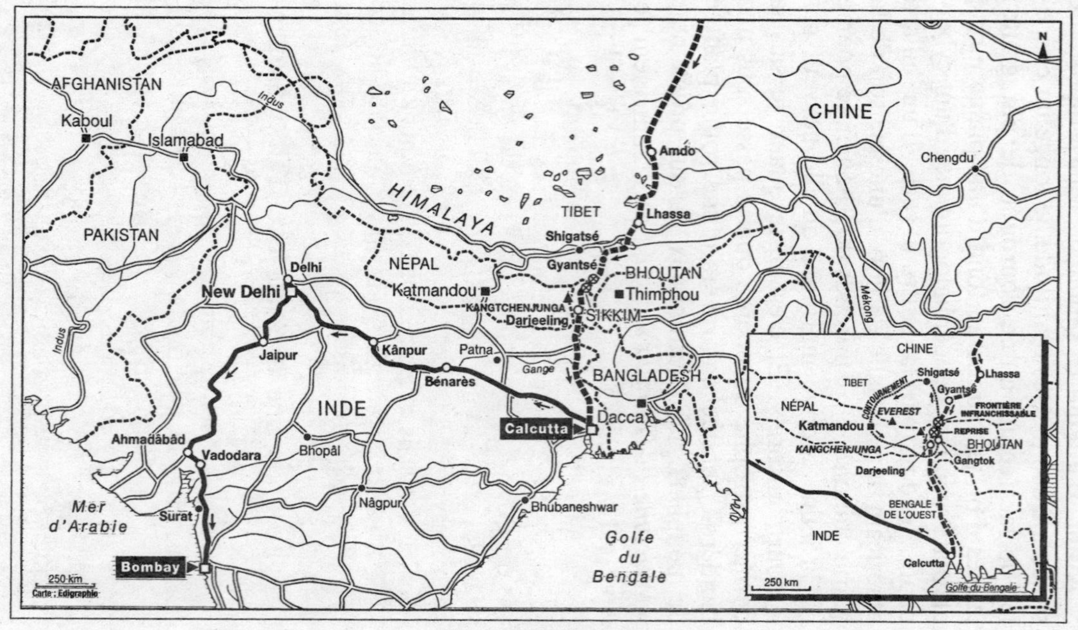

Himalaya, Bengale, Inde

9
À travers le Tibet
octobre-novembre

Quiconque tente de gagner Lhassa depuis Golmud se heurte à un problème d'envergure : les Chinois. Depuis que les fils du Ciel contrôlent le pays qu'ils ont libéré à coups de fusil en 1950, ils en régentent l'accès. Pékin a fait du Tibet une chasse gardée que les colons n'aiment pas savoir sillonnée par des touristes livrés à ce qu'il y a de pire : eux-mêmes. Autrefois (Prjevalski, Dutreuil de Rhins et Sven Hedin l'éprouvèrent assez), c'étaient les tempêtes, les marais et les rezzous de bandits khampas qui barraient l'accès du Haut Pays ; aujourd'hui ce sont les petits hommes jaunes en kaki qui font rempart.

Golmud est une agréable cité d'altitude plantée de peupliers que l'automne – cette saison alchimique – a rendus d'or. On y croise des Tibétains désœuvrés qui jouent au billard et des Occidentaux neurasthéniques qui cherchent en vain un moyen de quitter la ville vers Lhassa sans se faire arrêter par les autorités, lesquelles contrôlent chaque véhicule et n'autorisent le passage qu'à de rares voyageurs munis d'un permis extrêmement coûteux. Mon salut vient de ma bicyclette. Je quitte la ville à minuit, dans l'obscurité. Je suis allé reconnaître tantôt à pied le point de contrôle tenu par la police à la sortie sud de la ville. J'ai remarqué qu'un flot ininterrompu de cyclistes autochtones empruntait une contre-allée et traversait le portique du barrage sur son flanc, là où la surveillance est moindre. Je passe tête baissée, dans la file des cyclistes. Je m'éloigne de trente kilomètres et plante mon bivouac au début de la montée vers le col des Kun Lun, près d'une rivière turquoise qui tranche la montagne en deux comme une veine de sang bleu. Nous sommes le 10 octobre. En roulant vers le haut plateau, je pousse les portes de l'hiver.

Je franchis les Kun Lun par un col à 4 800 mètres, puis consacre onze journées à relier la ville de Golmud à Nachqu, à travers le nord du plateau tibétain. Ma méthode de convalescence a porté ses fruits et m'autorise à remonter en selle. Avec beaucoup de précautions, je réussis à pédaler une centaine de kilomètres chaque jour, ménageant toujours la jambe droite que je sais fragile.

Mais un vent qui souffle avec obstination du sud pendant ces deux semaines me force à puiser dans les réserves de mon magasin intérieur. Il se lève, le vent, immanquablement, aux alentours de midi. Savoir que j'ai rendez-vous avec lui me fait redouter l'aube. Au bout du quatrième jour, je n'éprouve de bien-être que dans l'annulation de moi-même par le sommeil. L'alternative de ces journées se résume à ces termes : souffrir du froid le matin, peiner contre le vent le reste du temps.

Je mets cependant à bon profit les heures paisibles du matin. Je prends la route vers six heures. Le fond de l'air affiche – 10 °C. Parfois plus froid encore. J'ai acheté à Golmud, dans un surplus de l'armée chinoise, une cagoule de mineur en feutre épais et des gants fourrés en poil de lapin qui me protègent partiellement de la morsure du froid, ce chien de l'hiver.

Au milieu de la journée, les premières rafales surviennent, d'abord par touches timides, comme des coups de pinceau sur le lavis du ciel, puis l'invisible rouleau compresseur du vent s'installe pour ne plus faiblir jamais et j'ai l'impression alors qu'une main appuie sur mon poitrail pour m'empêcher d'aller et les hurlements vrillent mes oreilles et c'est alors la ruine de tout effort. J'en suis réduit à marcher, de nouveau, comme au Gobi, à moins de quatre à l'heure. Le vent emporte toute pensée ainsi que les insultes que je lui jette. Moralement, le pire advient dans les descentes. Car pour peu que je m'arrête de marcher, le vélo, poussé par le boutoir du vent, remonte la pente vers l'arrière et c'est grande torture de le voir ainsi s'en retourner vers la Sibérie.

Les Chinois sont en train de porter le coup de grâce au Tibet qui n'est déjà plus que l'ombre de l'ancien royaume qu'il fut. L'estocade finale sera donnée par le fer. Et plus précisément par le chemin de fer. Pékin en effet a lancé, il y a quelques années, la construction d'une ligne de train entre Golmud et Lhassa : mille kilomètres de rails sur le toit du monde avec la sainte capitale des dalaï-lamas pour terminus.

Pendant plus de dix jours, je longe un chantier digne de Dante. Des milliers d'ouvriers, outillés de pioches, de pelles et de balais, soldats d'une armée maudite, gueux en loques, protégés de l'hiver par un masque de coton aplati sur leurs faces jaunes d'inanition, s'affairent dans l'air glacé à lever un ballast qui accueillera dans quelques mois les traverses du chemin de fer le plus haut du monde. D'un côté il y a la honte de cette balafre d'acier sur le visage du Tibet et de l'autre la grandeur de cet ouvrage à mettre à l'honneur de la Chine – cette dernière nation bâtisseuse du monde. Quel autre État réussirait-il aujourd'hui à imposer pareil sacrifice à la masse de ses citoyens et à exiger de fourmis une œuvre de Titans ? Et quel autre peuple se résignerait-il si docilement à l'esclavage en supportant des conditions de vie moins enviables que celles des recrues du pharaon sur le chantier de Khéops ?

Je partage un peu de la vie des damnés du haut plateau. Je dors dans les tentes militaires où ils se pressent à vingt-cinq autour d'un poêle trop faible pour repousser le froid. La nuit, les crises de toux qui secouent leurs poumons caverneux m'empêchent de dormir. Je partage leur ordinaire : du pain à la vapeur gonflé de jus de riz. Je les regarde longuement placer à la main, une à une, les pierres qui formeront la couverture du ballast. Ils sourient lamentablement quand je passe à côté d'eux en les saluant. Je visite les bases de leurs ingénieurs : maisons de ciment levées à 5 000 mètres d'altitude où des techniciens à lunettes venus de Shangai et propulsés au Tibet pour des mandats de deux ans crachent leurs poumons en s'interdisant de rêver aux plages de la mer de Chine car la nostalgie n'est pas digne d'un membre du parti.

Ces ouvriers du train chinois me rappellent les zeks que Moscou obligeait à coups de knout à ouvrir les routes de l'Union soviétique. Mêmes silhouettes de forçats ici et là-bas. Mêmes efforts et même peine en Russie et au Tibet pour recréer les montagnes d'après une autre volonté. Même prolétariat se mesurant à la Nature à la seule force de ses mains, corvéable à mort et dont l'inépuisable effectif justifie qu'on n'en prenne pas grand soin. J'apprendrai plus tard que parmi ces forçats du rail chinois il y a un grand nombre d'hommes et de femmes envoyés en relégation, punis par le gouvernement central, purgeant un blâme ; ouvriers malgré eux que leur sort rapproche encore un peu plus des déportés de Sibérie.

Le train, quand il sera achevé, traversera les territoires du Changtang qui donnaient autrefois tant de peine aux voyageurs, il fusera par des tunnels au travers de montagnes, il franchira les marécages d'altitude sur des pilotis de béton capables de se jouer des fluctuations du niveau du sol, il passera les hauts cols à plus de 5 000 mètres d'altitude grâce à des rampes graduelles épousant les pendages. Il ne faudra plus qu'une poignée d'heures – cinq ou six – pour rejoindre Lhassa depuis Golmud, et le jour où le premier train fera son entrée dans la capitale et passera au pied du Potala des dalaï-lamas cependant que des petites filles chinoises chanteront des chants martiaux en agitant triomphalement des pompons, alors le Tibet – ce pauvre dragon déjà à genoux – aura définitivement cessé de vivre.

Des panneaux de propagande dressés sur le bord du tracé du train illustrent cet avenir radieux. On y voit représentés des convois futuristes, ressemblant à des TGV bariolés, en route vers un Potala éclaboussé de soleil ou bien on voit un ouvrier brandissant le poing devant des pilotis géants flanqués de faucilles et de marteaux jaunes sur fond rouge.

Le Tibet est un plateau désert. Une table rase avec un beau passé. Rawicz le décrit comme un pays qui « aux yeux d'un explorateur bien équipé, avec ces plissements soulevés lors d'une convulsion originelle de l'écorce terrestre, aurait présenté un tableau d'une grandeur imposante ». J'ai conservé intacte malgré le froid, le vide, le vent et le poinçon de mon genou ma capacité à l'émerveillement. Contrairement à l'évadé, je sais encore reconnaître ce qui est beau et me féliciter de le savoir. Les plissements qu'évoque Rawicz sont le résultat des poussées tectoniques de la plaque continentale indienne qui, venant buter contre la plaque eurasienne en des temps brutaux et lointains, fit jaillir l'Himalaya en même temps qu'elle rehaussa le plateau tibétain, lequel n'était alors que le socle de la mer de Thétys. Les lacs d'eau salée qui émaillent le Tibet sont des résidus de cette ancienne mer et non pas, comme me l'affirmait un moine poète, le reste des larmes versées par le Tibet pour avoir perdu sa mer. Sur le plateau circulent quelques nomades qui savent qu'en ces parages on ne peut que passer. À part eux, on rencontre deux races d'hommes : des moines à demi fous qui attendent la mort en regardant le ciel; des flics demi-véreux qui passent leur vie à vérifier vos papiers. Les moines, j'en croise un jour un qui me passe autour du cou une statuette de la déesse Kouaipousa et m'offre une pomme qu'il prend sur l'autel des offrandes à Bouddha. Les flics, je prends grand soin de les éviter en traversant les villages à la nuit tombée.

La vue d'une famille de musulmans dans le village de Budongquan, au sud des Kun Lun, me fait un drôle d'effet, d'abord parce que je n'ai pas l'habitude des musulmans chinois et trouve étrange qu'on porte la barbe en même temps que les yeux bridés (c'est le cas des Hazaras d'Afghanistan par exemple). Ensuite parce que, depuis mon départ de Sibérie, l'itinéraire que je suis ne strie que des mondes orthodoxes, chamaniques ou bouddhistes. Je juge reposant pour l'âme de voyager parfois hors de certains univers islamiques, c'est-à-dire loin des terres plantées de minarets où l'homme a créé l'enfer autour de lui. Loin des gourbis, loin des ânes battus, loin des femmes haïes et de la loi naturelle bafouée et loin de cette odeur de pisse chaude de chèvre qui flotte toujours au-dessus de la maison du Prophète.

Wudaoliang, Tuensingtoung, Wenquan : je raye sur ma carte les villages colons que je dépasse. Entre chaque halte : je passe des cols perchés à 5 000 mètres au sommet desquels le vent ne m'autorise pas à des haltes de plus de cinq minutes. Il m'arrive, en haut des passes, d'éructer contre le vent des bordées de malédictions qui me laissent groggy. Les terres d'altitude ne sont pas propices à l'énervement car il n'y a pas assez d'oxygène. Serait-ce la raison de la sagesse des peuples de montagnes ?

Parfois la route longe les pilotis du train, colonnes herculéennes qu'on croirait laissées en place par une civilisation de géants. Des constellations de marais bleus tachent la nappe des herbes brûlées du Changtang. D'énormes yacks font rouler leur fourrure sur des alpages jaunis. La flammèche blanche de sommets de 6 000 s'allume çà et là dans l'horizon. Et, visitant cette belle géographie : le vent, le vent, le vent – voyageur sans repos.

Mon plaisir est de m'arrêter dans les campements d'esclaves le long de la ligne de train quand sonne l'heure de la pause. Les ouvriers se pressent alors autour du billard (l'une des distractions les plus populaires de la Chine) et j'aime par-dessus tout à me retrouver canne en main à 5 000 mètres de haut, visant la boule noire sur la feutrine parfaitement lisse qui me fait tant penser à la steppe eurasienne.

C'est ainsi que j'entame mon sixième mois de voyage. Dans le vent du sud. Au sommet de la passe de Dang, à 5 300 mètres, je fête le cent cinquantième jour depuis mon départ. Le col est perché sur la lèvre d'un cirque glaciaire aux versants de pierraille. Dans la montée, juste après avoir passé une borne kilométrique marquée 3 333, je suis attaqué par trois mastiffs tibétains. Ils fusent d'un repli de terrain qui les dissimulait et me prennent en chasse. Je m'arrête, saute à terre et fais face en hurlant et en montrant les dents, le vélo placé entre les chiens et moi. Je redoute que l'un d'eux ne lance une attaque à revers. Je cours dans la descente, remonte en selle et les sème dans la pente. Les chiens ne vident pas la route. Si je repasse à leur hauteur, ils reviendront à l'assaut. Le mastiff est un chien tenace. Je rejoins donc le col en marquant un grand détour par un réseau de ruisseaux, à cent mètres en contrebas de la route. Sur le fil de la passe, à la mode tibétaine, je lance dans le vent du col des poignées de papiers-confettis au dos desquels sont imprimées des prières dévolues aux divinités protectrices des points cardinaux. C'est du gardien du Sud que je dois m'accorder les faveurs. Je prononce quelques vœux pour l'âme des miens, quelques malédictions contre le vent et les chiens, et redescends pour continuer à tracer sur la route les lignes de la longue lettre d'amour que j'écris à l'Eurasie depuis que je suis parti de Iakoutie.

À une journée de la ville d'Amdo, une famille de Tibétains m'offre le gîte. Dans la salle commune de la petite ferme d'élevage, la famille assiste à une cérémonie *(puja)*. L'assistance entoure un moinillon qui chasse les démons à coups de tambour. Le thé dont ne désemplissent pas nos bols chauffe sur un poêle qui nimbe le moine d'un halo de fumée. Une vieille à la peau plus ridée qu'un lapiaz fait tourner son moulin pour que jamais les dieux ne restent sans attention. Une autre file sa quenouille. Une troisième égrène son chapelet : trois mouvements perpétuels inscrits dans l'ordre circulaire du monde. Le moulin, la quenouille, le tambour, la prière, le thé sans cesse servi : le temps est parfaitement empli, maîtrisé, contenu, vaincu car contraint de s'écouler en rond. Dans un sac de soie, une femme offre la tsampa enrichie de sucre et d'éclats d'un fromage si dur que j'en perds un gros morceau de molaire, lequel va rejoindre cérémonieusement le plateau d'offrandes disposé au pied de la photo du Panchen Lama. Il faut que mes yeux s'accoutument à la pénombre seulement trouée par le vacillement des bougies au beurre de yack pour que je puisse distinguer sur l'autel, côtoyant les représentations de Bouddha, une photo de Mao Zédong flanquée de mandalas sacrés.

On m'installe pour dormir dans une petite bâtisse voisine qui sert de salle de dépeçage des yacks. Je me couche sur des peaux encore un peu sanguinolentes. Il règne malgré le froid (– 15 °C) une odeur de viande acide. Je me lève vers minuit car j'ai bu trop de thé. La porte est bloquée. Impossible de sortir. On m'a enfermé de l'extérieur en liant la poignée avec des cordes de laine de yack. Il me faut une heure, à la lumière de la lampe frontale, pour couper les liens à l'aide de mon couteau par une fente de la porte. Je n'ai jamais supporté que l'on m'enferme. Veulent-ils me rançonner, mes hôtes, pour m'avoir ainsi cadenassé ? Une fois dehors, je prépare une petite vengeance. En silence, j'érige devant la porte du corps de ferme une pyramide de trois mètres de haut de bidons de métal, de bassines rouillées et de barres en fer. Puis j'accroche une corde à la base de mon édifice dont j'attache le bout à la poignée de la porte principale.

À six heures du matin, je suis réveillé par le fracas. La tour de ferraille s'est s'écroulée devant le chef de famille qui sortait. On se rue chez moi :

– C'est toi qui as fait ça ?

– Vous plaisantez ? Je dormais. Je n'ai même pas réussi à sortir de la pièce ! C'est encore un coup des démons.

Je prends un air si innocent que le coup porte. Les Tibétains empoignent moulins, quenouilles et tambours et s'en retournent invoquer les esprits pendant que je reprends la route, le ventre vide, dans l'air du matin abominablement coupant.

Halte d'une demi-journée dans la ville d'Amdo. Billard, bain brûlant, baume du tigre sur mes jambes, billard encore. Je mange quatre soupes aux nouilles d'affilée, c'est-à-dire de quoi nourrir pendant deux jours la tenancière du boui-boui qui me sert, fascinée. Puis je déniche un hôtel sordide et dors dix-sept heures de suite.

Deux jours plus tard, dans la ville de Nachqu, je pousse la porte de bois du monastère de nonnes qui domine la ville du haut d'un feston morainique avancé en balcon au-dessus d'un bras de rivière. Je fais cadeau de mon vélo aux religieuses qui s'en serviront peut-être pour convoyer jusqu'à la ville le lait des yacks qu'elles élèvent dans les alpages autour du ghompa. J'ai en effet ressenti l'impérieux désir de reprendre la marche et de parvenir à Lhassa à pied. Je gagne les bords de la rivière, trouve un bâton de bois dans le bazar de la ville et quitte la ville bétonnée par la porte du sud qui n'est pas gardée. Je suis à moins de trois cents kilomètres de Lhassa. Il me reste douze jours pour atteindre la ville à pied, avant le « Rendez-Vous ». Il est en effet convenu que j'y retrouve une personne chère à mon âme : Priscilla Telmon, la jeune fille avec qui j'avais traversé à cheval, en 1999, les montagnes et les steppes du Turkestan ex-soviétique [1] et qui s'est engagée au mois de juillet dernier (quelque temps après mon propre départ sur les chemins de Sibérie) dans une marche solitaire des jungles du Vietnam jusqu'aux portes du ciel tibétain, afin de déceler si les chemins qu'emprunta Alexandra David-Néel recèlent encore, en quelques secrets recreux, la trace du passage de l'antique pionnière, quatre-vingts ans plus tard. Avant de partir nous nous étions promis de nous voir à Lhassa. Puisque nos itinéraires respectifs nous y faisaient passer, il aurait été stupide de ne pas nous

1. Voyage raconté dans *La Chevauchée des steppes*, Robert Laffont, 2001, et *Carnets de steppes*, Glénat, 2002.

y croiser. Nous avons décidé que si nous réussissions à organiser nos retrouvailles, nous passerions l'Himalaya de concert avant de nous rendre à notre solitude sitôt la colline de Darjeeling en vue. Partie de Hanoi au milieu de l'été, Priscilla a peiné dans les bourbiers, traversé des hameaux rizicoles, forcé des jungles malsaines, vécu chez des cultivateurs d'opium qui chevauchent les dragons de fumée quand les orages du soir s'écroulent sur les collines, franchi les sombres vallées du Yunnan, gagné le plateau du Kham, croisé les cavaliers-brigands qui le hantent et, une fois passée sur la rive droite du Mekong, mis le cap vers le couchant, dans l'axe du vieux Brahmapoutre droit sur Lhassa-la-Sainte. Voilà pourquoi je ne m'attarde pas à Nachqu en cette fin du mois d'octobre.

J'ai passé la rivière Nujiang qui deviendra Saloueen et marche à présent vers le bourrelet montagneux des Nyainqentanglha. La nuit me surprend à quarante kilomètres au-delà de Nachqu. J'aperçois les lumières d'un village de cantonniers. On m'accueille dans une maison tibétaine. Un jeune ouvrier, Daïva (anagramme de Davaï), me fait cadeau d'un poignard ainsi que d'un calendrier zodiacal magique tibétain frappé sur une médaille de cuivre. On me sert une soupe si pimentée que je ne peux même pas y tremper les lèvres mais peu me chaut de ne point dîner car le sommeil est la seule chose à laquelle j'aspire. On me conduit dans une pièce commune. Je jette mon sac de couchage sur un bat-flanc couvert de tapis de feutre. Accroché au mur : un portrait de Mao Zédong encadré par quatre tableaux de plus petite taille représentant de gauche à droite Marx et Engels, Lénine et

Staline. C'est sous la protection de ce sympathique quintette que je m'allonge. L'avantage de la nuit, c'est qu'elle dissimule ce qu'il y a sur les murs.

Le lendemain, je quitte la route pour couper à travers des marais qui ne dégèlent pas avant le milieu du jour. J'avance sur un immense plateau, vide d'hommes. Fidèle à la méthode tibétaine, j'ai emporté dans mon sac trois kilos de tsampa prémélangée à du sucre et du fromage déshydraté et je marche en me demandant pourquoi les grands fabricants d'aliments énergétiques sportifs n'ont pas eu l'idée d'inonder le marché européen de cette extraordinaire farine d'orge grillée qui permet à celui qui en transporte quelques kilos de survivre plusieurs jours.

Surviennent alors dans ma vie trois personnages : Arkong, Mollah et Ruiden. Je les vois arriver de loin. Ils se déplacent dans le marais à petits pas rapides, sondant de leurs bâtons les grises fondrières, évitant lestement celles que la canicule de l'après-midi – ayant succédé sans transition aux froidures du matin – commence à liquéfier. Ils vont comme des lutins pressés. Leur accoutrement se compose de longues robes rouges usées à la trame, de bonnets pointus en laine et d'un paquetage fixé à leur dos par un système de cordes de laines de yack et d'arceaux de bois durci. Ils infléchissent leur route vers moi d'aussi loin qu'ils me voient.

Aucun de nous ne parle un seul mot de la langue de l'autre. Le minuscule dictionnaire franco-chinois que je transporte arrange un peu les choses. Je comprends qu'ils sont originaires de l'Est. Je déplie ma carte de Chine. Ils reconnaissent Chengdu ! Une ville située à deux mille kilomètres d'ici. Ils en sont venus à pied. Cinq mois de marche et toutes les nuits passées dehors, sous une bâche de plastique tendue par quatre piquets. À manger : de la tsampa et du thé qu'ils réchauffent sur un feu de crottes de yack. Ils portent tous trois un bâton de bois surmonté d'une pointe de lance en métal à la base de laquelle flottent des drapeaux à prières multicolores, le tout leur servant à écarter les démons en même temps qu'à chasser les chiens. Ces pointes sont aussi des antennes cosmiques, capables de capter les énergies astrales. L'ongle du pouce de leur main gauche est usé jusqu'à la chair par le frottement sur les boules du chapelet qu'ils égrènent en permanence avec une frénésie mystique en scandant sans relâche le mantra magique *Om Mani Padme Om*. Ils viennent d'un monastère bouddhiste de rite *gelupka* et sont fidèles à Kouaipousa, divinité à qui ils offrent ce pèlerinage à Lhassa et dont je porte moi-même l'effigie autour du cou.

Ils me proposent de me joindre à eux. Je réfléchis un instant. Ils guettent ma réponse, la mine inquiète. Lorsque j'accepte, ils hurlent de joie. Ce matin, je me réveillais sous le portrait des cinq promoteurs du matérialisme historique, ce soir je me lance sur le chemin avec trois porte-flambeaux du mystère tantrique.

Arkong ressemble à un jeune éphèbe gengiskhanide. Trente ans, beau comme savent l'être les Tibétains grandis à la source du soleil. Face large, mâchoires musclées et yeux brillants. Plein de race et d'histoire. C'est le chef du groupe.

Ruiden tient le milieu entre Puck et l'un des sept nains de Grimm. C'est un Petit Chose clopinant. Il souffre d'une légère infirmité qui l'oblige à se déhancher à chaque pas et je crois comprendre que les deux autres s'amusent beaucoup du fait qu'il soit obligé de faire deux fois plus de pas qu'eux pour couvrir une distance identique.

Mollah (drôle de nom pour un moine pacifique) est au clergé tibétain ce que les rois fainéants étaient à la généalogie mérovingienne. Toujours à l'affût de la meilleure chère et du replat de terrain le plus confortable pour accueillir son corps qu'il a réussi mystérieusement à faire engraisser au cours de cette marche ascétique ! Le plus souvent il se fait servir par le petit Ruiden qui a la bonté inépuisable. C'est à cause des abus et des dérives de clunisiens comme Mollah que les maoïstes, sortes de saint Bernard du Tibet, sont un jour venus sur le Haut Plateau à la force des armes et ont jeté bas l'ancien ordre en proclamant « la fin de la dictature théocratique ».

Lorsque Arkong propose de faire halte au bout de dix kilomètres pour boire du thé, je suis loin de me douter que je vais passer dix jours en leur compagnie.

Nous allons ensemble vers le sud à travers les plateaux désolés qu'égayent seules les taches mouvantes des yacks à la pâture. Nous marchons en formation ordonnée : moi au milieu, placé au centre d'un triangle isocèle rituel dont chaque moine représente une pointe. Nous quittons la route et coupons dans les ondulations couvertes d'herbe rase vers la vallée de Chong. Loin vers l'ouest, les montagnes Tangula ourlent la dépression du lac Namtso. Nous avançons au rythme des bâtons ferrés et du bourdonnement des mantras.

Parfois une douce neige brouille la visibilité et je distingue les silhouettes de mes trois compagnons – ombres noires couvertes de neige blanche – se balancer légèrement. Il me semble côtoyer trois âmes pures en résidence provisoire dans trois corps. Ils me font penser à des évadés. Comme les fugitifs, ils n'ont que le ciel pour toit, ils méprisent les contingences, ils titubent dans leurs haillons, ils s'en remettent au ciel, ils sont tendus vers le but telles des flèches que rien ne pourrait faire dévier, ils s'estiment chez eux là où ils ont décidé de faire halte. Un évadé c'est une Volonté en marche. Eux, c'est la Foi en mouvement.

Nous dormons chaque nuit les uns à côté des autres. Eux, couchés en tas, sous l'épais couvert de leurs manteaux de laine de yack ; moi, engoncé dans mon tube-bivouac. Quand vient l'aube dans le ciel d'hiver, la toile synthétique de ma tente est couverte d'une épaisse couche de glace formée par la condensation. Lorsque je me débats pour sortir de mon sac de couchage, la glace se détache et une pluie de cristaux s'abat sur moi, ce qui accélère radicalement le réveil. Nous marchons souvent jusqu'à minuit pour raccourcir les heures nocturnes où le thermomètre descend à – 15 °C.

En général, le soleil ne réussit à réchauffer l'atmosphère que vers midi. Alors Arkong propose que nous marquions la première des deux haltes de la journée. Nous nous installons là où coule un ruisseau. Ruiden part récolter des bouses de yack dans un pli de sa *chuba* [1] de laine. Arkong cherche de l'eau et allume des braises qu'il alimente au moyen d'un soufflet en peau de yack. J'aide l'un ou

1. Manteau.

l'autre. Mollah, lui, ne fait rien ou bien prie Bouddha, allongé dans l'herbe, les yeux fermés. Le plus extraordinaire est que jamais ni Arkong ni Ruiden ne lui tiennent rigueur. Quand l'eau a chauffé sur la casserole noire de suie, on prépare la tsampa agrémentée d'huile. À force de pétrissage, on obtient une boule plus énergétique que n'importe quel autre aliment. Les nomades des hautes terres de l'Eurasie ont eu des milliers d'années pour mettre au point cet ordinaire de survie qui n'encombre pas, se conserve longtemps et nourrit le corps pendant les heures d'errance sur les plateaux battus par des vents affamants. À la fin du repas, Mollah se décide quand même à apporter sa contribution à l'ouvrage commun. Il verse une poignée de tsampa sur le feu et se lance dans une série d'invocations destinées à remercier les génies des lieux de nous avoir accueillis en leurs terres et à chasser les démons qui auraient l'idée de venir profiter du feu après notre départ. Arkong et Ruiden se joignent au cérémonial en jetant de temps en temps quelques cris conjuratoires et m'invitent à en faire autant, si bien que le visiteur qui viendrait à passer en ces parages aurait le spectacle de quatre gueux en loques tournant autour d'un feu en poussant des hurlements.

Cependant, la préparation de la tsampa demande beaucoup de temps et d'effort. L'apport énergétique est tout juste supérieur à la dépense effectuée pour la préparer. Ce point d'équilibre entre la dépense et les bénéfices d'énergie (le passif et l'actif de l'alimentation) a présidé à l'extinction ou à la prospérité de bien des peuples primitifs. Pour peu qu'il lui soit moins rentable de chercher à manger que de rester à se reposer, un peuple finit par s'éteindre.

La température chute encore. Les nuits sont de plus en plus froides. Je dors très mal et des rêves sombres portés par un vent mauvais me renvoient souvent à cet épisode de la marche aux enfers de Rawicz au cours duquel l'un des fugitifs, le Lituanien Zacharius Marchinkovas, trouva la mort pendant son sommeil dans une grotte, victime comme l'écrit Rawicz de ce qu'« il avait renoncé à lutter ».

Nous regagnons la route à la hauteur de la ville de Damxung afin de trouver quelques médicaments pour Mollah à qui l'inaction a donné un violent mal de tête. Damxung est une ville d'implantation chinoise constituée d'une enfilade d'immeubles de béton le long d'une rue où transitent les camions militaires chinois, les 4 × 4 des commerçants tibétains enrichis par la collaboration et les vélos des colons han venus au Tibet de gré ou de force participer au grand œuvre colonial. Pour l'heure y circulent aussi deux moines que Mollah, Ruiden et Arkong identifient comme deux compagnons de leur monastère d'attache de Chengdu. Ils font eux aussi cap vers Lhassa. Je m'interdis de voir dans cette rencontre une simple coïncidence. Quand des clochards célestes se retrouvent par hasard sur le bord d'une piste, cela déclenche d'indescriptibles effusions : larmes, jappements de chiots, câlins, roulades. Tournié et Santié me saluent avec douceur. Désormais notre groupe compte six personnes.

À la sortie de Damxung, un camionneur se gare sur le côté de la route pour nous offrir de l'eau et quelques billets de banque. Nous bénéficions souvent de ces marques de charité de la part de Tibétains désireux de s'accorder les indulgences du Ciel en se faisant prodigues avec les moines mendiants. Ruiden, qui ferme la marche, s'apprête à dépasser le camion à l'instant précis où un autre mastodonte débouche en face, plein gaz. Je retiens le moine par le col de sa *chuba* in extremis. Le camion fuse, klaxon hurlant. Sans moi Ruiden était mort. Il m'est tellement reconnaissant de lui avoir sauvé la vie qu'il se met naturellement à mon service pendant les jours qui suivent, avec un dévouement de jeune chien, exprimant sa gratitude en me portant mon sac, en repliant ma tente, et en préparant mes rations de tsampa de sa main noire de crasse.

Avant de rejoindre le cours de la Chong nous marchons quelques dizaines de kilomètres sur la grand-route de goudron. De gros flocons tombent deux jours durant. Le Tibet est noir de neige. (N'a-t-on jamais remarqué que le manteau de neige révèle les ombres d'un pays plus qu'il ne l'illumine ?)

Je fais à présent l'expérience de ce qu'il en coûte de déchoir de son statut de voyageur occidental. En ma qualité d'étranger, j'avais jusqu'ici joui de l'empressement des Chinois et des Tibétains à me recevoir, ardeur qui doit se lire tantôt comme une marque d'hospitalité, tantôt comme un signe d'intéressement. Mais enfin, gracieusement ou pas, j'étais toujours reçu. Du jour où j'endosse la condition (sinon l'habit) de moine errant, je cesse d'être un objet de curiosité et donc de déférence. Et je suis si bien intégré à mon chapitre de clochards mystiques (dont la seule richesse est la force vitale) que je me retrouve tout autant qu'eux victime de la propension universelle des bonnes gens à rejeter les vagabonds. Ainsi passerons-nous ces deux journées de neige, dehors, sans jamais être conviés à nous abriter dans l'une des nombreuses fermes de la région. Tout au plus parfois nous laisse-t-on nous serrer sous l'auvent d'une grange à foin. Et souvent le sac à tsampa dont le poids fluctue en fonction de la générosité des gens n'est pas assez plein pour nous nourrir tous les six. Or, en ces jours misérables de demi-famine, jamais un soupçon de mauvaise humeur sur les faces d'Arkong, Ruiden, Mollah, Tournié et Santié. La leçon qu'ils donnent est celle de la félicité perpétuelle. Il brûle au fond de leur être la douce flamme de l'indifférence. Ils ont placé leur existence sous l'auspice de l'apaisement : vivre l'instant suffit à leur contenter l'âme, ils ne s'inquiètent jamais de l'avenir, la Providence pourvoira. Ainsi la vie s'écoule dans une insouciante impassibilité à l'image de celle du roseau sur lequel les événements de la vie – les boues, les peines, les illuminations – passent sans plus laisser de traces que le vent.

Je ne me lasse pas de me gorger de leur énergie joyeuse. Leur contact est bienfaisant. Je baigne dans la douce folie dont ils irradient. Je me prends moi aussi à mépriser l'avenir de toutes mes forces. Je me souviens d'une soirée lugubre passée à 5 000 mètres de haut, au sommet de la passe de Tchurtsi, sous la neige qui tombait aussi froidement que la nuit et, eux, mes clochards du ciel, enfants innocents du Dharma, gentilles bêtes du Tibet éternel, eux étaient tout occupés à danser et chanter dans la tempête, car savoir qu'ils vivaient suffisait à les rendre heureux de vivre. Ce fut ma nuit sur l'Acropole.

Des escadres de corbeaux nous escortent dans notre lente marche. À tire-d'aile vers le sud. J'aime ces oiseaux de la mémoire nordique. Je n'oublie pas que l'un d'eux était perché sur l'épaule d'Odin. Je n'oublie pas qu'Odin est un dieu magnifique. Leurs croassements emplissent le ciel et j'explique à Ruiden qu'il ne faut pas parler quand les corbeaux crient car on risquerait de ne pas entendre ce qu'ils ont à nous dire. Sur la route qui mène à la rivière Chong, nous croisons à trois reprises des groupes de pèlerins qui cheminent encore plus lentement que nous. Ce sont des pénitents qui se rendent à Lhassa en rampant. Ils mesurent l'immensité du trajet à l'étalon de leur corps prosterné. Ils se couchent, se relèvent, joignent les mains au-dessus de leur tête, murmurent un mantra, font un pas, se prosternent, s'allongent et ainsi jusqu'à ce Lhassa apparaisse dans le lointain selon ce bon principe – connu des pèlerins, des vagabonds et de toutes les autres espèces de croqueurs d'horizon – que l'immensité spatiale finit toujours par capituler devant l'obstination. Ils n'accomplissent que cinq à sept kilomètres par jour. Certains mettent huit mois à atteindre la ville, d'autres rampent pendant plusieurs années jusqu'au mont Kailash, à l'ouest du pays. À l'emplacement du troisième œil, ils portent tous un signe de reconnaissance naturel : une petite cale de chair durcie, sorte de kyste né du contact mille fois répété du sol sur le front. Ils sont vêtus d'un tablier de cuir qui les protège des raclements de la piste. Des cales de bois, lisses comme des patins, accrochées à leurs mains, leur permettent de glisser quand ils se couchent de tout leur long, face contre terre. À tour de rôle l'un d'eux se lève et revient en arrière chercher la carriole qui contient quelques pauvres effets (tente, tsampa, soufflet, moulins à prières) puis, dépassant ses frères de peine, il déplace le chargement de quelques centaines de mètres vers l'avant, le range sur le côté de la route et s'en retourne derechef prendre sa place dans la procession. Sous l'orage, dans l'hiver, sur des pistes de caillasses, ces chenilles processionnaires de la Foi tissent leur sillage inouï, imposant à leur corps terrestre cette mortification pour s'extraire plus vite du cycle des réincarnations : au Tibet, on rampe pour accéder au ciel. Les moines et moi-même concevons presque de la honte à les dépasser à pied. Car, emportés par nos pas à cinq ou six à l'heure nous sommes des bolides au regard de ces renonçants.

Nous quittons la route pour nous faufiler dans l'étroite vallée de la Chong, détour qui nous permet d'éviter le poste de contrôle qui réglemente l'accès à Lhassa. Nous arriverons à Lhassa par les faubourgs nord de la ville, ce qui est beaucoup plus chic car c'est par là que Prjevalski, Sven Hedin, Bonvalot et tous les candidats venus des plateaux du nord seraient entrés dans la ville s'ils avaient réussi à atteindre leur but. La vallée de la Chong déroule ses versants mangés par les genévriers, ses villages-forteresses dont chaque maison surmontée de *lungtas* [1] semble un temple sacré, et ses sommets lointains que l'injustice des crépuscules allaite encore de lumière solaire cependant que nos

1. Drapeaux à prière tibétains.

tentes, elles, dressées sur le bord de l'eau, sont déjà couvertes de givre.

Pour honorer le rendez-vous avec Priscilla à Lhassa, il faut que j'accélère le pas. Il me reste trois jours pour couvrir les cent cinquante kilomètres restants. Mes moines ne peuvent plus me suivre. Je suis trop rapide pour eux. La veille déjà, une étape de quarante-huit kilomètres sans autre viatique que la tsampa du matin les a laissés pantelants. Comme à chaque fois qu'une décision grave s'impose, nous allumons un feu de bouses et tenons autour une sorte de conseil de clan à l'issue duquel nous décidons de nous séparer. J'irai seul, en avant. Eux suivront, plus lentement, au rythme de Ruiden et nous nous retrouverons, à Lhassa, au soir du quatrième jour, sur le parvis du temple du Jokhang.

Je retrouve la solitude, douce, fertile. Je passe au pied d'une falaise qui abrite le monastère de Siligotsang, ghompa du vertige, mont Athos du bouddhisme, nid d'aigle de la foi, symbole de l'architecture de la lévitation accroché à une paroi de 100 mètres de haut, surplombant la vallée comme un poste de haute garde destiné à des sentinelles de l'âme. Les deux passes d'altitude qui me séparent de Lhassa s'élèvent respectivement à 4 800 et 5 300 mètres. Si je veux arriver à l'heure dite, il me faut abattre à présent cent kilomètres en quarante-huit heures, à marche forcée avec un kilo de pain à la vapeur pour toute provision. L'étape du premier jour me mène jusqu'à une large vallée qui décline ses merveilles comme dans un poème : crêtes tranchant l'air raréfié, anticlinaux tourmentés, cuestas puissantes, strates multicolores, chaume d'or, versants d'ébène. Le soir venu, je dépasse une enfilade de villages opulents occupant le fond de la vallée de Lundzub à 3 800 mètres d'altitude. Des hommes retournent la terre avec des charrues attelées à des yacks. Des femmes m'offrent à boire des chopes de chang, la bière des paysans de l'Himalaya. J'en avale plus qu'il n'en faut et repars dans le couchant, ivre tout à la fois d'alcool, de lumière et de beauté. Le ciel saigne : c'est le soleil qui dégorge tout le sang qu'il a vu couler sur la terre pendant sa demi-course. Les astres purs ne devraient jamais assister à l'horrible spectacle de la vie des hommes. Les crépuscules seraient plus doux. J'escalade les pentes du dernier col avant Lhassa et bivouaque la nuit venue juste au-dessous de l'isotope 4 000 après une étape de soixante-cinq kilomètres.

Je m'élève le lendemain dans un vaste cirque dont les versants se raidissent au fur et à mesure que j'approche des crêtes jusqu'à me contraindre de progresser à quatre pattes sur des portions de terrain couvertes de glace. Je me trompe de col, accomplis une traversée par un pierrier enneigé jusqu'à un autre ensellement marqué d'un cairn. Je suis à 5 300 mètres d'altitude sur le fil de la passe. Je comprends en regardant ma montre que la très grande fatigue et l'essoufflement anormal que j'attribuais à ma faiblesse viennent en fait de ce que j'ai escaladé 1 500 mètres de dénivelé en moins de trois heures. Je dévore mon dernier pain accroupi derrière un rocher qui me protège du vent. Je sais Lhassa toute proche mais, du col, je ne la vois pas encore. Des crêtes noires cachent la ville, aussi acérées que des lames, disposées par la géologie en plans successifs comme les soufflets d'un éventail que la lumière déclinante dévoilerait tour à tour. Je descends sur un versant pâturé par des yacks. Je m'écroule au premier replat que j'atteins près d'une source claire et m'endors une heure pour tromper l'inanition qui me gagne. La vallée sauvage marque un coude vers le sud. À l'horizon se dévoile soudain le fond d'une plaine inondée de soleil. Tout est déjà plongé dans la semi-obscurité du soir, sauf cette tache lointaine. Cette goutte d'or au fond de l'athanor, c'est Lhassa ! Je m'assieds sur un rocher et attends les larmes. J'aimerais pleurer car il me semble avoir atteint ici l'un des buts les plus désirés de ma vie. Je ne serais pas plus ému aux pieds d'un être aimé, une fée, une femme, attendu pendant des mois et retrouvé enfin. Les intenses secondes que je passe sur ce bloc de granit sont importantes car elles me prouvent que mon cœur n'est pas mort.

Des falaises claires bordent les deux rives du torrent qui coule au fond d'un canyon. Une grotte creusée au pied des parois et aménagée par la pioche de moines ou d'ermites accueille ma dernière nuit avant Lhassa. Je jette mon sac de couchage sous la voûte et, avant de fermer les yeux, regarde la ville illuminée à présent par l'éclairage public. Au sud, à la hauteur du ciel, on devine dans la demi-clarté de la nuit le fil d'une montagne.

C'est la crête axiale himalayenne qui commence. L'ultime obstacle avant l'Inde. Le dernier rideau avant la liberté. La herse finale.

10
La dernière herse

décembre

Lhassa. Les Chinois ont rasé le passé de la haute table des dieux. La cité céleste est tombée bas : elle ressemble de plus en plus à un cantonnement. Des casernes, des antennes, des banques, des magasins : l'ordre et le fric ont mis à genoux le Tibet ancien.

On objectera que c'est un mal pour un autre car le Tibet antique des dalaï-lamas était une théocratie aux mains d'un clergé corrompu qui opprimait le peuple. Certes. Mais l'ensemble était plus esthétique. Au moins y avait-il des moines en tenue d'apparat, des ermites avec un pied dans l'autre monde, et les villes ressemblaient à des décors de théâtre carnavalesques, ce qui valait mieux que les actuels canons de l'architecture coloniale pékinoise qui peuplent le ciel himalayen de façades en faïences aussi blanches que celles des salles de bains de princes saoudiens. On n'était ni plus libre ni plus riche autrefois, on vivait tout aussi pauvrement, mais cette vie-là avait une autre allure.

À mon arrivée dans le centre-ville, j'apprends deux choses. Que Priscilla n'arrivera finalement que la semaine d'après et que Thomas Goisque, l'ami photographe qui m'avait déjà rejoint en Mongolie, atterrit demain pour passer quelques jours avec moi.

Au Jokang, le centre sacré de Lhassa, nœud cosmogonique, tellurique et géomantique du pays, je fais ce que je m'étais promis de faire dans le désert de Gobi : j'allume un cierge pour beaucoup de raisons qui ne regardent que moi et me retiennent une heure entière dans la pénombre du temple, flottant dans un état de contemplation semi-ahurie jusqu'à ce que je me souvienne que je n'ai rien avalé depuis le pain à la vapeur de la veille, grignoté au sommet du col, et le gâteau de riz qu'un cantonnier m'a offert ce matin à l'entrée de la ville.

Au Potala, temple-montagne vidé de son âme et converti en musée, vaisseau palatial aux cales sombres qui puent cependant encore le mystère et le beurre de yack, je me penche à la fenêtre de la chambre du sixième dalaï-lama. De ce balcon, on embrasse la ville du regard. Les antennes métalliques de la télévision chinoise posées au sommet des collines ont supplanté les stupas antiques que les Tibétains considèrent comme leurs propres antennes énergétiques pointées vers le cosmos. Au pied du Potala s'étend une esplanade identique à Tia'nan-men quoique de proportion inférieure, parvis de ciment lisse propice aux défilés militaires. Et, fiché au milieu de la place comme une lame de picador dans le cou d'un taureau : un mât de métal haubané du drapeau rouge !

Rude semaine avec Thomas Goisque. D'abord une visite aux monastères de Ganden et de Rumtek détruits par les Chinois en 1966, lors de la Révolution culturelle. Quand les meutes de gardes rouges furent lâchées dans le pays avec ordre d'éradiquer le vieil édifice religieux, elles rasèrent quatre-vingts pour cent du patrimoine architectural sacré. Les jeunes maoïstes usèrent de la dynamite contre la forteresse de la foi. La vie de Bouddha fut proclamée réactionnaire. Une robe rouge de moine signait l'arrêt de mort de celui qui la portait. À Saint-Germain-des-Prés, on acclamait les gardes rouges. Les gardes rouges auraient rasé Saint-Germain-des-Prés. Quelques moines parvinrent à s'enfuir à travers l'Himalaya. D'autres s'en furent croupir dans les cachots chinois. Certains y sont encore.

Mais cinquante années de domination coloniale n'ont pas réussi à déraciner la foi. C'est qu'on ne se débarrasse pas des mystiques ancestrales comme on fait sauter un kyste d'un coup de scalpel. Mieux : il y a quelques décennies, les Tibétains ont été autorisés à revenir dans leurs lieux saints dont le gouvernement chinois a orchestré la reconstruction à l'identique. Les monastères battent à nouveau leur plein. Officiellement, les fidèles ont le droit de pratiquer leur culte. Mais cette liberté est de façade, peinte sur un paravent fragile. Car les instances religieuses, les hiérarchies de lamas sont manipulées par Pékin qui refuse toujours de reconnaître au dalaï-lama sa légitimité et intrigue pour placer ses propres pions au sommet de la cléricature tibétaine. Les lamas qui règnent aujourd'hui sur l'âme du Tibet sont des marionnettes dont les fils invisibles sont reliés à Pékin.

De nombreux Tibétains, religieux, paysans, citadins, simples citoyens, femmes et enfants continuent aujourd'hui à fuir le communisme. Ils gagnent le Népal à travers de hauts cols englacés (comme la passe de Nangpa au pied du Cho Oyu). Beaucoup perdent leurs mains ou leurs pieds pendant la traversée. Certains perdent la vie, happés par les crevasses. À Bodhnat, quartier de la diaspora tibétaine situé au nord de Katmandou, un hôpital pour réfugiés assure l'amputation de membres gelés. La liberté a parfois le prix de la chair. Le plus connu de tous les évadés du Tibet est le quatorzième dalaï-lama, actuel chef du gouvernement tibétain en exil à Daramsala, qui réussit à s'échapper de Lhassa en 1959 déguisé en soldat et chevaucha pendant deux semaines à travers l'Himalaya accompagné de quelques cavaliers fidèles.

Nous faisons une incursion dans la cuvette perchée du lac Nam, à trois cents kilomètres au nord de Lhassa. Autre haut lieu de liberté et d'évasion. Cette année, à la faveur d'un hasard du calendrier céleste tibétain, des milliers de pèlerins convergent en hordes mystiques vers l'œil bleu du lac. En cheminant, ils rendent grâces aux roches, aux cimes, aux antennes naturelles que la géologie a érigées vers le ciel. Ils hurlent leurs louanges en passant les cols. Ils font halte sur les alpages rasés par la dent des yacks. Ils construisent des feux de bouse et l'on voit le filet de fumée s'élever du centre de chaque groupe. Une noria de camions charrie les pèlerins par centaines. Ils déferlent de tous les points cardinaux et ne s'arrêtent qu'une fois parvenus à destination : c'est-à-dire là où une falaise sacrée, disparaissant sous les écharpes de soie rituelle (*kata*), s'enracine dans les eaux du lac, à l'extrémité d'une péninsule. La paroi révérée agit sur les fidèles comme une pile minérale chargée d'énergie. La grève du lac est recouverte par les toiles d'un village de tentes. On entend les claquements des drapeaux à prières dans les rafales. Les pèlerins tournent autour de la roche en une procession continue comme une tribu du début du monde qui se mettrait en branle vers les âges nouveaux. Les uns portent la natte rouge des nomades khampas, d'autres, des coiffes brodées de fil d'or, d'autres encore disparaissent sous des toques de renard, certains vont chaussés de bottes de feutre, le corps engoncé dans des chubas de laine. L'écho de leurs prières se confond en un bourdonnement qui doit certainement terroriser les démons. Tous actionnent sans répit leurs moulins à prières pour que la tension spirituelle ne se relâche pas. Le lac est le miroir de ce spectacle. Chaque soir, le soleil, avant de disparaître derrière la muraille des sommets de 7 000 mètres qui ceignent la dépression, envoie un faisceau de rayons glisser à sa surface. Par un effet de réflexion, son éclat enflamme la rivière humaine des pèlerins. Alors, les pommettes des visages, la fourrure des surplis, la turquoise des bijoux, la lame des fourreaux, les coquillages des coiffes, le métal des moulins, l'ambre des colliers, le bois des chapelets, le cuivre des cloches et le laiton des dorges se colorent d'un rouge braisé et on croirait, l'espace d'une minute, que c'est un flot de sang sacrificiel qui coule le long de la falaise tutélaire.

Ce pèlerinage est dévolu au Karmapa, guide spirituel de l'un des courants religieux du Tibet. Pendant l'hiver de l'année 2000, la réincarnation du Karmapa, un jeune garçon âgé de quatorze ans, échappa aux sicaires chinois et gagna Daramsala à travers l'Himalaya. Aussi ai-je beaucoup de mal à m'empêcher de voir dans ce pèlerinage consacré à la vénération d'un jeune fugitif autre chose qu'un hommage rendu à l'évasion.

Pour rejoindre Lhassa, je décide avec Thomas de franchir le col de Kong, à 5 300 mètres d'altitude. C'est là, au cœur de la chaîne des Tangula, que l'alpiniste Heinrich Harrer, échappé d'un camp militaire des Indes britanniques en 1939, franchit sa dernière haute passe avant d'arriver à Lhassa où il vécut pendant sept années [1]. Ainsi, dans le chaudron géomorphologique du lac Namtso, sous la protection des crêtes meringuées d'une haute chaîne, s'entrelacent des trajectoires d'évasion qui, toutes, convergent vers un objectif identique : la liberté.

Le col nous donne quelque mal. Difficile à localiser, battu par un coulis glacé et encombré de neige fraîche, il nous demande deux jours d'efforts. Le premier soir, au moment de monter le camp, à la limite des neiges éternelles, Thomas annonce, le souffle court, la tête prise dans l'étau de la migraine, avec un flegme qui l'honore :

– J'ai oublié les piquets de ma tente sous le canapé du salon à Paris.

Nous subissons donc l'interminable cours d'une nuit venteuse enroulés dans les bâches de tissu et les couvertures de survie. Thomas, arrivé à Lhassa quarante-huit heures seulement auparavant, franchit la passe à 5 300 mètres le lendemain au mépris de toutes les recommandations de prudence édictées par les spécialistes du Mal Aigu des Mon-

1. Heinrich Harrer, *Sept Ans au Tibet*, Arthaud.

tagnes qui conseillent de s'acclimater pendant une semaine dans la Sainte Capitale avant de monter plus haut.

Quelques jours plus tard, il s'envole vers Paris. Priscilla, quant à elle, arrive à Lhassa à la mi-novembre. Nous nous retrouvons dans une courette du vieux quartier tibétain. Elle surgit, belle, tannée par le chemin, révélée par l'effort, taillée comme une louve, flottant dans sa chuba trop large pour sa maigreur. Elle marche, appuyée sur le bâton de bambou qui lui a été offert par des pèlerins au pied de la montagne sacrée du Kawakarpo. Elle vient d'enlever trois mille kilomètres de piste aux jungles, collines et hauts plateaux et, de cette longue avancée, son regard a contracté une flamme un peu fixe qui est la marque des fortes volontés. Nous convenons de franchir l'Himalaya ensemble. En ce début d'hiver, nous ne serons pas trop de deux pour supporter les assauts du froid. Comme prévu, nous nous séparerons à Darjeeling.

Je mets à profit les quelques jours de repos que nous nous octroyons à Lhassa pour revoir mes moines mendiants qui sont finalement arrivés à destination, à petits pas, et semblent hagards d'avoir accompli le rêve qui nourrissait leur existence depuis tant d'années. Je tente aussi de collecter quelques renseignements sur les filières d'évasion vers le Népal. Mais les visages se ferment et les lèvres se scellent dès qu'on évoque le sujet trop crûment. À Lhassa, comme dans toutes les villes des États carcéraux, on se méfie des oreilles indiscrètes qui pourraient capter une conversation interdite.

Nous achetons deux bicyclettes chinoises dans un bazar au pied du Potala et quittons la ville à l'aube, le vingt-troisième jour de novembre par un vent du nord que nous voulons lire comme un heureux présage. Mais, en matière d'augures, l'escadrille d'oies sauvages qui nous survole, cinglant vers le septentrion contre toute logique migratrice, corrige notre enthousiasme.

L'Himalaya est notre dernier obstacle. La porte finale de nos voyages respectifs. Pour les fugitifs, la haie d'honneur avant la récompense de l'Inde. Les alpinistes de l'après-guerre appelaient les Himalayas « les îles ». Peut-être parce que les sommets encapuchonnés de neige percent les nappes de nuages comme les récifs rocheux crèvent la surface des océans ? Ou parce que toute approche des crêtes s'apparente à une navigation ? Nous n'avons pas la réponse, mais nous pédalons vers les îles, préoccupés par la nécessité de prendre l'hiver de vitesse.

Nous passons sur la rive droite du fleuve Brahmapoutre, dont les chenaux anastomosés ressemblent aux dreadlocks d'un vieux hippie échoué dans les sables. Nous disons adieu à ses mythiques eaux qui elles aussi s'enfuient vers l'Inde – mais par une autre route plus longue et plus tumultueuse. Nous arrachons une série de hauts cols à la pesanteur, au lœss fluide de la piste et au vent qui se retourne contre nous dès le lendemain de notre départ de Lhassa. Parcourir les cinquante kilomètres de piste qui bordent la rive sud des lacs Yamdrok nous demande une journée d'efforts inouïs contre des rafales à cent à l'heure dont les langues soulèvent l'arrière des vélos que nous poussons à pied et les rabattent contre le talus du chemin. Les lacs scintillent. Qu'ils profitent encore un peu des caresses de lumière que le soleil applique à leur surface ridée ! Car les Chinois fomentent à leur sujet un projet d'aménagement hydroélectrique et parlent de les vider de leurs eaux sans avoir cure qu'ils puissent servir d'aiguière à quelques dieux locaux !

Nous marchons tête baissée toute la journée du lendemain vers le col de Ko à 5 100 mètres de haut. La tempête décornerait les yacks s'ils n'avaient déjà tous transhumé vers les basses vallées. Les nuits sont froides. Le ciel est aussi cristallin que le plafond du palais de glace de Vesaas. La température descend à – 10 ° C à l'intérieur de la tente et, dans l'aube lugubre, le plafond de toile se recouvre d'une pellicule de glace dont la seule vue nous invite à nous rendormir. Nous roulons au pied du glacier de Nojinkangtsang qui dégueule ses séracs par-dessus une paroi verticale de trois cents mètres de haut. Le vent, pris de fureur, tend jusqu'à les rompre les lignes de drapeaux à prières, noués au faîte des chortens.

C'est également en plein hiver que Rawicz et ses compagnons passèrent la chaîne himalayenne. Ils s'égarèrent dans le dédale des vallées, butant contre des crêts abrupts. Seule consolation pour eux : les froidures himalayennes leur paraissaient plus supportables que l'hiver iakoute. Mais moi, je n'ai jamais été zek et j'ai froid. Priscilla me parle du *toumo*, l'art de faire monter la température de son corps par la méditation, dans lequel Alexandra David-Néel était passée maître au terme de trois années d'apprentissage.

Au bord d'une rivière, nous regardons le soleil dérouler à la surface de l'eau un tapis de lumière sur les pas de la nuit qui s'avance. Nous avons si froid que nous n'avons plus faim. La présence de l'Inde toute proche, mais inaccessible, défendue par la dent des montagnes, nous excite. Les évadés eux-mêmes devaient ressentir de tout leur corps l'irrépressible aimantation de cette terre de liberté, distante de deux journées à vol d'oiseau mais que les plis de l'Himalaya séparent d'un demi-mois de marche.

Un jour, lors de la halte de l'après-midi, nous manquons de perdre le vélo de Priscilla. Mal embéquillé, il tombe de six mètres au fond d'un ravin mais nous le retrouvons intact grâce à l'intervention de quelque dieu bien luné !

Enfin Gyantsé ! À l'horizon domine le dzong féodal, forteresse que les Tibétains jugeaient imprenable et que les Anglais prirent après quelques minutes de combat. En 1904, un corps expéditionnaire britannique conduit par le colonel Younghusband s'enfonça en effet dans le Tibet pour mettre fin au Grand Jeu d'espionnage qui empoisonnait les relations russo-britanniques dans la haute Asie. L'enjeu était aussi simple qu'important. Il s'agissait pour la Couronne de prendre Lhassa par la force. Là où les espions, les diplomates, les aventuriers et les géographes avaient échoué, les militaires anglais, qui ne font rien dans la demi-mesure, étaient convaincus de triompher. Il fallait offrir la capitale himalayenne à la Reine Mère, ceci afin d'assurer à l'Empire des Indes sa suprématie sur le Tibet, ouvrir une route commerciale vers la Chine, et briser les appétits de l'Aigle russe qui, depuis Pierre le Grand, louche de ses deux paires d'yeux sur les confins de la haute Asie.

Gyantsé, la troisième ville du Tibet (à peine grosse comme une bourgade), se trouve construite sur une vaste plaine alluviale : un champ de bataille idéal.

Les Anglais étaient équipés de mitrailleuses et de fusils à répétition. Les Tibétains, eux, avançaient en chantant, brandissant des bannières bénies par le dalaï-lama et qui étaient censées les garantir contre les balles.

Les uns livraient une guerre moderne. Les autres se battaient comme des magiciens.

Sur la plaine, ce fut le massacre. Les canons anglais crachèrent le feu. Les talismans et les fanions lamaïques n'eurent pas l'effet escompté. Sept cents Tibétains tombèrent en quelques secondes fauchés comme de l'herbe et Younghusband envoya ses soldats hisser le drapeau de l'Union Jack sur la hampe du dzong qui n'avait jamais porté rien d'autre que des *lungtas* à prière.

Quand les soldats fracassèrent la porte de la forteresse, ils trouvèrent un dernier carré d'irréductibles Tibétains qui préférèrent se jeter du haut des remparts plutôt que de se rendre aux officiers de la Couronne, lesquels eurent à apprendre une fois de plus que la Garde saute mais ne se rend jamais.

Nous laissons les vélos au pied de la citadelle et montons au sommet. Le moine gardien de la place, ignorant notre présence, nous enferme à clé dans les lieux. Nous sommes contraints de désescalader la falaise le long d'un câble électrique fiché dans la roche. Nous refaisons donc (mais moins vite) le trajet par lequel les héros tibétains donnèrent aux Anglais une leçon d'honneur.

Nous prenons le soir même, dans un bouge chinois de Gyantsé, autour d'une soupe aux nouilles trop pimentée pour être seulement humée, la décision de passer par le Sikkim. Ce petit royaume himalayen [1], perché entre le ciel himalayen et la plaine indo-gangétique, nous attire pour une double raison. C'est par le Sikkim que Rawicz serait passé en Inde. C'est également par là que Alexandra David-Néel gagna le Bengale après son expédition à Lhassa en 1924. Paradoxalement c'est aussi l'axe qu'utilisa, du sud vers le nord, le détachement de Younghusband, prouvant que les chemins de la liberté servent parfois de voie à la convoitise. C'est en tout cas la route que nous commande l'Histoire. Et c'est l'itinéraire le plus court pour passer l'Himalaya depuis Gyantsé !

Le lendemain, nous filons donc plein sud, dans l'air glacé, sur une route en partie goudronnée par les Chinois et réussissons à pédaler cent kilomètres en direction du Sikkim sans nous faire arrêter. Garnisons et postes de police jalonnent le chemin. À moins de trente kilomètres de la frontière sikkimaise, nous nous heurtons à un barrage militaire et tombons dans les mains des soldats qui nous intiment l'ordre de rebrousser chemin. Faut-il qu'ils n'aient pas confiance en la solidité de leur frontière pour la garder avec tant de fébrilité ! Derrière la haie de képis qui nous encerclent, nous devinons les crêtes qui marquent la frontière indienne, séparées d'une quinzaine d'heures de marche. Mais les Chinois ont décidé que les hommes ne circuleraient pas librement au Tibet. Sans doute n'ont-ils pas oublié, les Han, qu'ils sont ce peuple faible qui a essuyé au long des siècles – en dépit des murailles, des *limes* et des marches dont il s'entou-

1. Annexé par l'Inde en 1975.

rait – les raclées des Mongols, des Tibétains, des Anglais, des Japonais. Est-ce en manière de vengeance ou bien par prudence qu'ils cadenassent ainsi leurs frontières en déployant aux plus lointains confins de l'Empire des milliers de supplétifs han qui grelottent de froid, loin qu'ils sont de leurs rizières natales ?

On pourrait produire une monographie sur les « voyages de contournement », ces grandes boucles tracées à travers des territoires immenses pour relier les deux rives d'une frontière imperméable. Le maître du genre est le Keraban de Jules Verne qui préféra faire le tour de la mer Noire pour rejoindre la Turquie plutôt que de payer l'octroi sur le pont du Bosphore. Le détour auquel nous contraignent les Chinois n'est pas négligeable non plus : sautant d'un camion à un bus, d'un bus à une jeep, nous entreprenons le contournement de l'Himalaya oriental. Nous passons la première nuit sur une piste perchée à 5 000 mètres d'altitude, roulant au large de la face nord de l'Everest laiteuse de lune. Puis nous traversons la frontière népalaise dans une jungle sentant les bas-fonds. Nous sillonnons les routes du Népal coupées par des barrages de soldats armés de M16 américains à la recherche de révolutionnaires maoïstes. Nous nous enfonçons dans la fertile dépression du Teraï. Nous entrons dans le Bengale indien ; en ressortons aussitôt pour grimper par une serpentine forestière jusqu'à Gangtok où nous ne restons que le temps d'obtenir les autorisations pour gagner les régions septentrionales sikkimaises. Pour finir, nous rejoignons en jeep et à pied la zone frontalière sino-indienne, vingt kilomètres au-dessus du village de Tangu. Cette course effrénée à travers les royaumes de l'Himalaya ne nous demande que six jours. Si nous allons si vite, c'est qu'il y a dans le principe du contournement frontalier une nécessité de rapidité destinée à ne pas faire durer trop longtemps l'impression de coupure et à reprendre au plus vite le fil du cheminement.

Le 6 décembre, du côté indien de la frontière sikkimaise, à quelques poignées de kilomètres de l'endroit où les Chinois nous ont refoulés, nous repartons, à pied vers le sud. Nous avons gagné un col à 4 900 mètres que des soldats indiens surveillent. La région entière est surmilitarisée parce que les Chinois n'ont pas encore reconnu son appartenance à l'Union indienne et que Delhi ne se sent pas tranquille. (Sikkim, Bhoutan, Népal : pauvres royaumes serrés entre les mâchoires d'États aux appétits féroces !) Nous franchissons un autre col, retors celui-là et situé juste au-dessous de la ligne des 5 000 mètres. Neige fraîche aux genoux. Chaos de blocs. Plaques de glace. Mais, au sommet, la vue porte sur des pics de 7 000 encadrés d'arêtes fines qui, en se courbant élégamment de part et d'autre du sommet, dessinent la courbure d'une épaule de laquelle cascade un grand surplis de neige plissée. Les draperies de ces montagnes se rejoignent jusqu'à former une vallée profonde qui s'enfuit vers le sud pour donner naissance à la rivière Tista, puissant cours d'eau dont le bassin versant correspond aux limites géographiques du Sikkim. Au loin patrouille un groupe de soldats. Nous croiserons encore quelques escouades au cours de notre descente vers la moyenne section de la Tista. Elles ont l'air malheureuses, perchées à l'altitude des aigles, les pauvres recrues du Bihar ou du Kerala, venues de pays de soleil et de plaines.

Nous caressons les lungtas qui claquent au col et nous engageons dans l'adret où déjà percent les rhododendrons nains. Nous savons que, sitôt fait le premier pas en direction du sud, nous ne cesserons plus jamais de descendre jusqu'à la plaine indo-gangétique car dans l'Himalaya, la géographie est ainsi faite que la montagne tire sa révérence d'un seul effondrement, s'affaisse dans la plaine d'un seul élan. Il s'agit donc aujourd'hui de dire adieu aux neiges éternelles.

Le Sikkim n'est que chute. Chute des eaux grondant vers le sud. Chute des reliefs s'aplatissant progressivement sous des ciels de plus en plus écrasants. Chute des végétations dégueulant le long des falaises sous le poids de leur profusion. Le Sikkim est un pays où l'on croirait que la végétation pousse vers le bas.

C'est en ces parages que Rawicz, dans l'un des derniers chapitres de son récit, décrit sa rencontre avec un couple de yétis. Il observe deux créatures à la tête carrée, aux épaules tombantes, au thorax puissant et pourvues d'un occiput qui forme « une ligne droite du sommet de la tête aux épaules exactement comme ces foutus Prussiens » selon le mot d'un des fugitifs. Or, en Europe de l'Ouest, rien n'est plus efficace pour se ridiculiser publiquement que d'aborder avec sérieux la question de l'homme des neiges. Le professeur Bernard Heuvelmans, fondateur en son temps de la Société de cryptozoologie et qui conduisit dans les années 1950 des travaux de recherches sur le chaînon manquant n'excluant pas l'existence de la présence d'un hominien inconnu dans l'Himalaya, fit les frais de cet hermétisme qu'affiche la science occidentale à l'égard des hypothèses fantastiques et fut déchu de tous ses honneurs au point même d'avoir à quitter les chaires qu'il occupait dans les grandes académies scientifiques françaises. Rawicz, en évoquant le yéti, s'autoadministra le coup de grâce du discrédit et œuvra à sa propre déconsidération. Il entraînait ceux des lecteurs qui n'avaient pas encore tranché à rejoindre le camp des sceptiques. Une leçon donc : quand on publie un récit flottant à la lisière de la crédibilité, ne jamais dire qu'on a vu le yéti. Je me garderai moi-même d'émettre la moindre opinion personnelle sur le sujet bien qu'il me semble assez poétique d'imaginer qu'une bête venue sur ses deux pattes du fin fond des âges ait pu échapper à l'œil classificateur des zoologues modernes. Il faut toujours laisser dans le laboratoire de la connaissance un soupirail ouvert sur l'inconnu.

En fait d'hommes des neiges, Priscilla et moi ne rencontrerons que les représentants des nombreuses tribus du Sikkim. Sitôt atteintes les premières forêts de cèdres encharpées de brumes, nous renouons avec le monde des humains et traversons des villages construits à la hauteur des nuages. Dans la nuit, le long d'une sente serpentant entre des arbres kiplingiens nous atteignons le monastère de Lachen, non loin duquel Alexandra David-Néel séjourna pendant trois ans, réfugiée dans une grotte, s'initiant à la mystique bouddhiste. Longeant le cours de la Tista, nous cumulons souvent dans la même journée 2 000 mètres de dénivelé positif et franchissons une à une les arêtes rocheuses dont les indentations entravent la ruée des rivières vers le grand collecteur gangétique. Venir à bout des plissements des basses montagnes himalayennes est une école de patience. Quant à descendre du Tibet pour s'enfoncer dans la forêt sempervirente, c'est entrer dans l'Éden après la traversée du désert. La jungle se lance à l'assaut de la montagne avec la vigueur d'une vague mordant le récif. Elle se maintient jusqu'à 3 000 mètres d'altitude et capitule au-delà pour laisser la place aux cédraies.

Au cours des huit jours de marche qui nous sont nécessaires pour rejoindre la colline de Darjeeling, nous renouons avec la vie. Nous marchons dans des sous-bois embaumés de verveine ou bien sous des nefs de cardamome éclaboussées par les rayons de soleil que filtrent les canopées de pandanus. Nous grimpons sur des versants où les racines des arbres servent de marches d'escalier. La présence de falaises accores parfois couvertes de fougères arborescentes nous empêche de suivre la rive de la Tista. Nous marchons le jour sur des chemins qui la surplombent et redescendons le soir pour dormir sur ses bords. Nous dressons la tente sous les palmes des bananiers qui coiffent les plages de sable et y dessinent des dentelles d'ombre. Le flot turquoise cascadant des glaciers que nous foulions quelques jours seulement auparavant berce nos soirées. Un cri de singe. La montée de la lune. Le velours du sable. La fraîcheur abattue des frondaisons. Cette jungle est une récompense. Les paillettes de mica brillent autour du feu de bois flotté où chauffe l'eau du thé. Nous parlons du retour.

– La première chose que tu veux faire en rentrant ?

– Rentrer est la dernière chose que je veux faire.

Au-delà du village de Manglay, la forte pression démographique nous pousse à chercher chez les gens le refuge que les bords de la Tista nous offraient jusqu'alors. Il y a presque autant de peuples différents dans ces forêts que d'espèces d'arbres. Limbus, Rais, Tamangs, Gurungs, Buthias côtoient les Lepchas originels, premiers occupants du Sikkim dont les Bhoutanais, dans les temps immémoriaux, connaissaient déjà l'existence et désignaient comme « la vallée cachée du riz ».

Hibiscus, bambouseraies, carrés de fleurs, bassins de retenue, arbres fruitiers, chutes d'eau, petits ponts de bois : le Sikkim est un potager perché, aménagé par des générations de jardiniers. Nous cheminons sur des sentes empierrées, empruntant de séculaires escaliers de pierres taillées, traversons des terrasses plantées de riz et de maïs, rejoignons des îlots villageois où nous nous enquérons de la meilleure route à suivre à travers ce labyrinthe agreste.

Dans l'une des maisons de planches où nous passons la nuit, je perds la croix et les médailles saintes que je portais au cou depuis mon départ. La semaine précédente, c'est mon couteau que j'égarais : voilà comment on se débarrasse en quelques jours du sabre et du goupillon.

Malgré les dénivellations, elles sont douces à nos corps, ces journées sikkimaises, succédant aux mois de progression sur les plateaux stériles de la haute Asie. Une seule ombre au tableau de ma félicité :

celles des infectes araignées qui polluent le ciel, écartelées sur leurs toiles. Famille des argiopes. Corps aussi gros que des cornichons. Pattes jusqu'à sept centimètres de longueur. Toiles épaisses comme des voiles. Et moi, terrorisé à l'idée qu'elles me fixent des yeux quand je passe sous leurs filets tendus entre deux bambous. L'araignée est un monstre qui par surcroît affiche des goûts de luxe (elle vit dans la soie). Je prie toujours Priscilla d'inspecter méticuleusement les pièces dans lesquelles nous passons la nuit pour en chasser les araignées que Dieu a commis l'erreur de créer, un matin de chagrin.

À l'endroit où nous la passons, la frontière entre le Sikkim et le Bengale de l'Ouest est matérialisée par deux signes distinctifs. Un pont suspendu au-dessus d'un affluent de la Rangit (elle-même tributaire de la Tista) et un poste frontière constitué d'un cabanon de bois où se morfond un garde-barrière que notre passage ravit. Alors qu'il vise nos papiers, un camion de transport de troupe arrive à notre hauteur et se range à l'ombre d'un pipal. Les trente soldats d'une section de la Sikkim Armed Police nous entourent, curieux de savoir ce qu'une si jolie fille fait dans ces bois en compagnie d'un vagabond. Nous détaillons à l'officier les itinéraires de nos expéditions. L'homme, corseté dans un uniforme impeccable, donne des ordres pour le thé. On nous sert du darjeeling et des biscuits sur un plateau. À soixante années de distance, à peu près dans les mêmes parages, par la grâce de l'une de ces correspondances que le hasard (mais est-ce vraiment lui ?) dispose sur les pas du voyageur, nous sommes en train de vivre une scène qui ressemble étrangement à la rencontre de Rawicz avec une escouade de soldats britanniques au cours de laquelle les fugitifs apprennent qu'ils sont en Inde, que l'évasion a touché à son terme, qu'ils sont sauvés et qu'ils vont pouvoir « recommencer à vivre ». Il arrive souvent que les voyageurs qui s'engagent sur les traces de prédécesseurs bénéficient ainsi de ce genre de petites attentions du destin lequel, aimablement, fait resurgir l'évocation du passé au détour de la route. Pour les évadés (ils n'étaient plus que quatre survivants), deux années d'épreuves tout juste supportables à l'homme (« nous étions pareils à des squelettes ambulants ») prirent ainsi fin, à l'ombre d'une futaie anonyme, devant des soldats incrédules, dans une sorte d'atmosphère d'insignifiance que ne méritait certes pas pareille épopée. La première chose que les soldats britanniques exigèrent fut de brûler les hardes des évadés. Et les flammes grillèrent les colonies de vermines en même temps qu'elles emportèrent le souvenir de l'enfer.

Je pourrais très bien considérer que j'ai assez peiné sur la piste et que l'hommage que je rends aux évadés depuis le mois de mai dernier s'achève, ici, sur les bords de la rivière Rangit, en des lieux, en des circonstances identiques à ceux du récit de Rawicz. Mais je décide de continuer ma route jusqu'à Calcutta, non pour le plaisir d'ajouter quelques centaines de kilomètres à mon cheminement, mais parce que c'est là-bas que les fugitifs rescapés étaient acheminés par les autorités anglaises. En outre la Cité de la Joie est un élégant objectif d'arrivée, un point de chute à la hauteur de l'itinéraire que je trace depuis la Iakoutie. Nous faisons nos adieux à la soldatesque et franchissons le pont sur l'affluent de la Rangit. Sur l'autre rive, un chemin serpente dans la jungle : saignée de latérite dans le caparaçon de feuillages lustrés.

Notre œil s'était bien habitué à la succession des collines de jungle. Au Sikkim et dans le nord du Bengale, elles se renouvellent avec l'obstination des vagues. Au sommet de chacune le voyageur découvre la suivante sans que jamais l'horizon ne laisse à espérer que tarira la houle. Un matin, un paysan qui disparaît sous la botte de fourrage qu'il convoie vers ses bêtes nous explique que les toitures qui scintillent sur le flanc de la prochaine colline appartiennent à Darjeeling.

La journée que nous employons à rejoindre la ville, nous la passons à travers les plants de thé qui recouvrent la colline de leur carapace vert bronze. Nous quittons le royaume de la culture en terrasses pour celle du thé cultivé de pleine pente. Les buissons s'accrochent à la déclivité de toute la force de leurs racines et sont taillés parallèlement au pendage abrupt, ce qui oblige les cueilleuses à des acrobaties d'alpiniste pour passer d'un plant à l'autre. Les stations de séchage de l'époque coloniale nous offrent l'occasion de faire des haltes après les 1 000 ou 1 500 mètres de dénivelé que nous avalons d'une traite. Les Anglais ont fait de ces collines tempérées un petit paradis, aux antipodes de l'Albion malsaine. Les Anglais savent vivre quand ils ne sont pas chez eux.

Nous gravissons les dernières pentes avant Darjeeling sous l'égide du Kangchenjunga qui daigne enfin déchirer en haillons la couche de nuages. Le troisième sommet le plus haut du monde est la sentinelle orientale de l'Himalaya, la vigie des portes de l'Est qui ouvre le ban d'une succession de quatorze montagnes de plus de 8 000 mètres. Parfois son écran de neige s'encadre entre le tronc de deux pipals. Alors il semble qu'un diamant offert à la terre par les dieux du ciel s'est posé sur le socle d'acier des théiers taillés au cordeau. Le soir, quand la géographie s'obscurcit, le Kangchenjunga s'éteint en dernier comme s'il soufflait la bougie allumée en son sommet pour fêter ses cinquante millions d'années d'existence. Lui seul rappelle au voyageur aventuré sous les houppiers subtropicaux que les glaces de l'Himalaya, terres du froid et de la nuit, ne sont qu'à quelques jours de marche.

À Darjeeling, je prends le temps de faire deux ou trois choses importantes.

Je visite le zoo pour voir le panda roux, l'une des bêtes de la Création à laquelle j'attache le plus de prix. Les deux spécimens de Darjeeling ruminent leur désespoir carcéral dans un enclos bétonné. La différence entre l'animal et l'homme quand ils sont tous les deux emprisonnés c'est que le premier reste beau alors que le second devient une bête.

À deux pas du zoo, je rencontre le colonel Vajray Singh, directeur de l'Institut himalayen. Dans son bureau, nous nous penchons sur les cartes d'état-major des années 1940. Il me confirme que les hauteurs du Sikkim étaient très peu surveillées au temps du Raj anglais et qu'il n'aurait pas été difficile à des évadés de passer à travers les mailles d'un filet inexistant. Pour la bonne forme, sans espérer rien, je lui demande de consulter les archives militaires de l'année 1942 où sont consignées les arrivées d'étrangers dans la province. Il n'y a rien sur Rawicz. Mais le propre d'un évadé n'est-ce pas d'échapper aux recensements des registres ?

Puis, avant de quitter la ville, invité sur la place d'armes par le constable du *pipe band* de la compagnie de police armée du Bengale, je sonne devant la silhouette du Kangchenjunga quelques airs de cornemuse. Mes cinq années d'apprentissage du *bag pipe* à la Mission bretonne de Montparnasse ne m'auront donc pas été totalement inutiles... Les sonneurs, des soldats gurkhas en tenue d'apparat – plaid, vestes à boutons dorés et calots à pompons – me prêtent une McLeod de l'époque britannique. Il me plaît de penser que c'est en l'honneur des évadés politiques que nos *laments* s'élèvent par-dessus la colline.

Viennent les adieux avec Priscilla. Elle s'en va vers le sud deux jours avant moi. Je la regarde descendre la rue en pente, dans le centre de Darjeeling. D'un pas ferme. Ferme femme. Force et beauté. Fille trempée comme on dit de l'acier qu'il l'est. Fille qui semble née du granit, et qui cache au fond d'elle une âme inapprivoisable.

Les premières personnes que je rencontre en descendant à pied de la colline de Darjeeling à travers une futaie de cèdres celto-gothiques sont deux saddhus shivaïtes occupés à la gravir. Leur sourire est vieux comme la nuit des temps. Dans leurs yeux vaporeux, il me semble lire tout le fatras brumeux et abracadabrant des panthéons indous. Le plus jeune des deux me bénit. Du pouce, il me colle au front un pétale de fleur de santal. Quand nous nous quittons, je leur dis en anglais, sans qu'ils comprennent quoi que ce soit, qu'ils sont eux aussi des évadés, à leur manière, échappés du monde tangible, en quête de la liberté de l'âme et que je suis heureux de les avoir rencontrés sur l'axe du loup. Une journée pour perdre 1 000 mètres d'altitude. Une autre pour 1 000 autres mètres sur des chemins compliqués dans des pentes à théiers. Je croise en chemin quelques jeunes filles en saris colorés. Jaune, rose, bleu vif : les plus belles taches dont on puisse pavoiser un paysage.

Puis soudain, c'est la plaine. L'Himalaya vaincu capitule et s'écroule sans que rien, ni talus, ni biseau, n'assure la transition, n'adoucisse le contact. La lisière entre la plaine et la montagne est tranchée comme un coup de couteau. On fait un pas et c'est le socle. La table indo-gangétique rase comme une paume. Le début de la fin. Je la contemple depuis une sorte de balcon naturel modelé à mi-pente sur le dernier versant. Les collines font comme une vague solide qui aurait reflué devant le spectacle de la plaine. En bas, j'entends les détonations de militaires à l'entraînement. Ils gardent la frontière des mondes himalayens. Dans la vapeur de l'horizon bleu, le ciel, le paysage, la perspective se dissolvent. Il faut descendre encore, prendre pied sur la plaine et, alors, restent six cents kilomètres à franchir jusqu'à Calcutta à travers les forêts et les campagnes agrestes du Bengale de l'Ouest.

Dans les forêts que je traverse on me met en garde contre les éléphants sauvages et les tigres. En Sibérie, on me mettait en garde contre les ours. L'homme fait toujours semblant de craindre les animaux qu'il décime. Mais il ne met jamais personne en garde contre lui-même. (Pourtant Priscilla me racontera plus tard avoir vécu dans la fournaise de la plaine bengalie les heures les plus oppressantes de tout son périple, subissant les charges pathétiques et incessantes des essaims de jeunes Indiens rendus fous par la frustration sexuelle, laquelle est la pire métastase du cancer religieux hindou.)

Des gardes forestiers m'hébergent une nuit dans les baraquements de la réserve naturelle d'éléphants de Sukna. Au pied du lit à moustiquaire se tient une tarentule. J'explique sans pudeur mon arachnophobie. Un garde tue l'araignée d'un coup de talon. Vers minuit, je me réveille, pris d'un mauvais pressentiment. À travers le tulle de la moustiquaire, j'éclaire à la lampe frontale le pied de mon lit pour vérifier qu'y gît bien le cadavre. La bête n'y est plus. C'est donc qu'elle est en vie, blessée, et cherche certainement un moyen de m'atteindre pour se venger. J'attends la délivrance de l'aube sans fermer l'œil.

Avec la ville de Siliguri, je retrouve la foule. L'Inde de la multitude. L'empire du grouillant. Une cour des miracles permanente avec un bruit de fond inépuisable. Ce pays a en outre la particularité de sentir l'homme. Odeur que j'avais oubliée. Car, avec le bruit et les saveurs, les senteurs représentent toutes choses dont sont dépourvues les immensités tibétaines que seule la lumière habite à égale proportion avec le vent.

À Siliguri, j'achète un vélo. J'hésite entre un « Héro » et un « Hercule » (les Indiens et leur simplicité !). Et je termine mon périple à grands coups de pédales, en six jours, dans la plaine indo-gangétique. La campagne indienne défile à quinze à l'heure, immuable, éternelle, lourde comme un labour, pareille à la roue de l'hindouisme, battant tel un navire à aubes écrasé de fatigue les eaux dolentes du temps qui passe. Le soir, le soleil devient rouge, descend du ciel blanc, se prend dans les ramures des arbres et y reste accroché comme une boule de gui que le druide alchimiste aurait enfin réussi à changer en or. Passe Islampur. Je croise des femmes transportant sur leur tête la corvée de bois sec pendant que leurs hommes traînent de tasse de thé en tasse de thé leur propre corvée : la vie. L'homme est le fardeau de la femme indienne. Passe Kinchanganj. Des flics m'arrêtent et m'interrogent fébrilement. Est-ce la proximité de la frontière du Bengladesh qui les rend si peu amènes ? Passe Malda. Ironie de mon sort : alors que j'achève de retracer la route de la liberté par laquelle les hommes en peine fuyaient l'oppression des rouges, je traverse l'État de l'Inde à la plus forte coloration communiste. Partout, sur les murs des maisons, le tissu des drapeaux et le soubassement des ponts, s'étalent le marteau, la faucille et le sigle du Parti marxiste-léniniste du Bengale. Je rencontre même un soir le chef du PCB (Parti communiste bengali) entouré d'une foule de fidèles, occupé à fêter le cent dixième anniversaire de la naissance de Mao. Il prononce un vibrant hommage au gros timonier et, quand il apprend qu'un Français, c'est-à-dire moi, s'est joint à l'assistance, il exhorte ses fidèles à crier pour me faire honneur « VIVE LA COMMUNE DE PARIS ! » Étrange cours des événements : voilà des mois que je poursuis l'ombre d'hommes qui fuyaient précisément ce que ces Bengalis appellent de leurs vœux les plus chers. Devant mes réticences à gueuler ses slogans, le leader máximo du PCB affiche une certaine froideur. Je ne lui explique même pas pourquoi je suis parti de Sibérie et m'en vais, légèrement écœuré, le laissant persuader ses ouailles que les idéologies changeront le monde.

Sur un pont de deux kilomètres, je franchis le Gange, sacré ruban d'alluvions qui charrie des millénaires de mythes obscurs. Passe Barampur. Dans le brouillard qui englue la plaine au petit matin, des vaches qu'on dirait abandonnées déambulent comme les membres d'une horde antique en migration. Halte à Ranagath le soir de Noël. Dans l'église bondée de fidèles indiens, j'assiste à la messe de minuit, offre mon vélo aux frères salésiens de l'église, prends quelques heures de repos et m'en vais le lendemain à pied vers Calcutta qui n'est plus éloignée que de quatre-vingts kilomètres. Je longe une voie ferrée, éprouvant quelques difficultés à marcher sur les étais de bois ou sur la caillasse des remblais et veillant à ne pas me faire écraser par les trains qui fusent, traînant dans leur sillage une odeur de chair humaine. Partout, sur les abords des champs, sous l'auvent des bouis-bouis, aux échoppes des gares : des hommes. Chacun porte deux choses sur le visage : une moustache et la fierté d'avoir des couilles. L'Inde, qu'on le sache, est aux mains des mâles. Quelques statisticiens bien informés avancent qu'il manquerait dans le pays cinquante millions de femmes par rapport au ratio naturel. Les autorités sont contraintes de menacer de prison les médecins qui feraient des analyses prénatales pour déterminer le sexe du bébé. Car les filles, ici comme ailleurs, on n'en veut pas. Les femmes (ce monument tellement vandalisé), on les avorte avant qu'elles ne naissent, on ne les soigne pas quand elles sont nées, on les tue éventuellement si elles ont le culot de survivre. Le tragique c'est qu'elles-mêmes, conditionnées, modelées dès leur âge tendre par l'Esprit du Mâle, entretiennent le climat d'adoration du garçon. Il règne sur cette terre une atmosphère de glorification hystérique de la testostérone. Celle-ci est responsable du *gyno*cide permanent dont ce pays est le théâtre sinistre.

Je délaisse la ligne de train. Trop pénible de trébucher à chaque pas. Je cherche ma route dans un labyrinthe de chemins agrestes serpentant entre des villages charmants pleins d'Indiens affairés à ne rien faire. Sans déroger à mon principe de voyager *by fair means*, je m'offre même une dizaine de kilomètres, allongé sur la plate-forme de bois d'un tricycle à pédales qu'un pauvre hère fait avancer avec beaucoup de peine. À la fin de l'après-midi du 26 décembre, j'atteins les bords de la rivière Hooghly. J'en descends le cours jusqu'à Chandernagor, à huit kilomètres de là, dans une barque à fond plat menée à la rame par une sorte de gondolier shooté au haschich. Il tire tellement sur son shilom que la barque finit par prendre un air de bateau à vapeur. Sur la rive défilent des palais décrépis comme des faces de vieilles comtesses qui oseraient encore se regarder dans le miroir du fleuve. Le soleil moribond a une fois de plus perdu la bataille contre la nuit : il tombe derrière le houppier des arbres qui poussent sur les *gaths*[1] de

1. Escaliers de pierre bordant les fleuves sacrés en Inde et sur les marches desquels les pèlerins descendent prendre leurs bains rituels.

pierre. Je dors à Chandernagor puis, le lendemain matin, moitié à pied, moitié sur l'eau, j'atteins le centre de Calcutta. La barque me dépose sur les dalles roses d'un gath surmonté d'un porche, au cœur de la Cité de la Joie. Je débarque, passe sous la voûte, monte les marches de l'escalier de pierre. J'entends la rumeur de la ville.

Je sens une immense lassitude m'envahir. Pour la première fois, j'éprouve l'envie de rentrer chez moi.

Je suis arrivé au bout du chemin.

Épilogue

Quelques notes sur la notion d'Impossible

Vient la question.

Rawicz a-t-il dit vrai ?

Précisons en prélude à cet épilogue que je ne me suis pas lancé sur les chemins de la liberté pour me livrer à un travail d'enquête. Je n'ai pas l'âme d'un limier et laisse aux détectives-nés le confort de se persuader qu'on peut savoir l'exacte vérité sur les choses. Culturellement, je serais plutôt du côté des cœurs simples qui aiment à croire aux belles histoires que du côté des sceptiques qui sont toujours prompts à réfuter chez les autres des actes qu'eux-mêmes n'auraient pu accomplir.

Dans la barque de bois qui m'amenait à Calcutta, puis au cours de ma traversée de l'Inde à moto, jusqu'à Bombay, sur une Royal Enfield 500, je griffonnais quelques réflexions dont l'ensemble pourrait s'intituler « notes sur l'Impossible » et que je livre ici, tel quel.

À force de lectures, de rencontres, de collectes de témoignages et de réflexions sur le sujet (qu'on y songe ! huit mois à ne rien faire d'autre qu'à y penser !), je me suis convaincu que rien n'est impossible à celui qui poursuit la liberté comme but unique, et que la voie est libre à ceux qui entendent la voix de la liberté. La force de l'évadé tient dans le fait qu'il n'a rien à perdre et que chaque pas le rapproche de la mort ou de la délivrance, ce qui signifie, dans les deux cas, d'une situation préférable à l'enfer qu'il laisse derrière lui. L'optimisme légèrement teinté d'inconscience qui habite un homme se risquant à l'évasion (au mépris de ce que commande la raison) l'aide à triompher d'embûches dont il ne prend d'ailleurs jamais la juste mesure en les abordant. S'ils savaient vers quelles difficultés ils allaient, nul doute qu'aucun des évadés de l'histoire des répressions politiques n'auraient quitté la relative protection du camp. Mark Twain disait à propos de l'accomplissement extrême : « Ils l'ont fait parce qu'ils ne savaient pas que c'était impossible. » En outre, un évadé qui survit aux interrogatoires, aux mauvais traitements de la détention, à la déportation vers la Sibérie et trouve encore la force, une fois incarcéré, de prendre la clé des steppes appartient *de facto* à une sorte d'élite. Il se trouve au sommet de l'échelle de la résistance physique et de la détermination morale, et le simple phénomène de la sélection naturelle l'arme contre un certain nombre de dangers. Voilà ce que j'ai à dire sur la prétendue impossibilité de triompher de certaines difficultés.

Avançons à présent un argument historique. Il est un fait que des centaines d'hommes – vieux-croyants, prêtres orthodoxes, contre-révolutionnaires, soldats des armées blanches, moines bouddhistes, zeks, koulaks, cosaques, Polonais, Juifs, vagabonds en rupture de ban, prisonniers de guerre, aventuriers, croyants tibétains ou mongols – ont réussi un jour à fuir l'une des manifestations du totalitarisme, lequel a étendu sa toile du nord au sud sur l'Eurasie au fur et à mesure que progressait le XXe siècle. C'était l'époque où « le tourbillon de la révolution faisait rage sur toute la surface de la Russie, semant dans ce pays riche et paisible la vengeance, la haine, le meurtre » (Ossendowski, Phébus, 1995). Certaines épopées d'évasion (comme celle de Clemens Forell ou bien celle des vingt et un vieux-croyants de Sibérie qui sont parvenus à gagner Calcutta venant de l'Altaï) sont d'incontestables pages de l'Histoire que personne ne peut nier. Ce qui permet d'assener, qu'avec ou sans Rawicz (et quelle que soit la nature de *À marche forcée* – mystification ou récit véridique), les chemins de la liberté ont pour leur part bel et bien existé sous la forme d'un grand axe nord-sud (l'axe du loup !) emprunté par des évadés soit dans sa totalité, de la Sibérie à l'Inde, soit par tronçons. Les Tibétains qui franchissent à l'heure actuelle l'Himalaya, échappant à leurs colons chinois, continuent d'alimenter l'une des sections de cette route, inaugurée jadis par les zeks. Ils font partie de la cohorte d'hommes en peine qui ont lutté et luttent encore pour recouvrer leur liberté, à tout prix, à marche forcée.

Sur les anomalies dont regorge le livre de Slavomir Rawicz, sur les erreurs, les approximations, j'ai déjà mentionné le fait que le livre est paru en 1950 à une époque et dans une atmosphère où les récits de voyage s'autorisaient une part d'affabulation sinon d'exagération qui ne choquait pas le lectorat. Mais il faut surtout rappeler que Rawicz a fait écrire son livre par un journaliste qui a pu ressentir la nécessité de forcer un peu le trait, et s'est laissé aller à tirer de temps en temps les bords de son embarcation littéraire vers les rivages du romanesque. C'est un danger pour beaucoup d'écrivains-voyageurs que de prendre trop de libertés avec la vérité. Quand la réalité manque un peu de piment, la tentation n'est-elle pas grande d'aller chercher du côté de la fiction quelques épices, d'appeler l'imagination à la rescousse ?

Rawicz en outre ne disposait que de sa mémoire pour alimenter son récit. Pas d'archives, nulle note. Un évadé s'embarrasse peu, chemin faisant, de consigner les particularités ethnologiques et toponymiques des régions qu'il traverse. Seul importe de survivre et, au moment de raconter, l'esprit, en se retournant en arrière, ne découvre qu'une longue nuit obscure dont la mémoire n'a pas gardé l'impression.

À Calcutta, j'ai pris la peine de me livrer à quelques recherches. Consultation des anciens numéros du *Telegraph*, des archives des hôpitaux militaires, entretiens avec quelques Européens qui vivaient déjà dans le « grand mouroir de la joie » dans les années 1950. Nulle trace de Rawicz. D'autres avant moi avaient déjà livré enquête en vain. Doit-on conclure que les choses qui ne laissent pas de trace n'existent pas ? L'ombre ne laisse pas de trace. Elle existe pourtant. Un évadé, ce pourrait être l'ombre portée, sur une route, de la liberté.

Le propre d'un évadé est de s'échapper d'un camp. Or, ce faisant, il échappe aussi à toute classification, tout archivage, toute statistique. On est certes en mesure d'avancer des chiffres concernant les incarcérations : on parle de dix-sept à vingt millions de prisonniers peuplant les goulags au milieu du XXe siècle [1]. Sur ce cheptel d'esclaves, il va sans dire qu'un certain nombre ont tenté de *prendre les mousses* [2]. Savoir combien est impossible. Mais ce qui est incontestable, c'est qu'à l'époque où Rawicz place son évasion, les taïgas de Iakoutie et de Transbaïkalie fourmillaient d'une clique de joyeux drôles : réprouvés, hors-la-loi, clandestins. Cette région du monde a été (et est encore dans une certaine mesure) un espace qui échappe à la rationalité moderne. Terre immense où sont rendues possibles aux cœurs aventureux et aux âmes sauvages des destinées que n'autorisent pas les structures corsetées de notre Europe occidentale méticuleusement anthropisée. La Sibérie est souvent appelée « terre de déportation », mais il faudrait ajouter, dans une certaine mesure : « terre de liberté », dans le sens où tout et surtout l'impossible peut advenir.

Il me plaît de penser que Rawicz n'a pas menti. L'homme vit toujours. À Londres, reclus dans un silence qui peut s'expliquer de deux manières différentes. Supposons qu'il ait dit vrai : blessé par les accusations de mystification qu'on lui a portées, on comprend qu'il ne veuille plus remuer le couteau dans la meurtrissure en se penchant sur le passé. Mais imaginons qu'il ait menti : sans doute n'a-t-il pas envie qu'un fouineur vienne remuer les braises de la suspicion et enquêter sur une affaire délicate. On a connu certains poilus qui avaient tiré, sur le

1. Les effectifs de prisonniers atteignirent ces chiffres astronomiques après les grandes entreprises de terreur : guerre de classe de 1917, décosaquisation de 1920, collectivisation et famine de 1922, dékoulakisation de 1930-1932, terreur contre les Ukrainiens en 1933, purges de 1937, déportation des Allemands en 1941, des Polonais en 1939 et en 1944... (Source *Livre noir du communisme*, op. cit.)

2. Voir note au chapitre 2.

cauchemar, le rideau de l'oubli doublé de celui du mutisme. Il y a des choses qui ne se racontent pas. Ou sur lesquelles on ne revient plus.

L'essentiel est de comprendre que l'évadé politique est nécessaire à l'Histoire. Il prouve qu'aucun barbelé n'est infranchissable, qu'il y a toujours une faille dans le rempart, qu'aucun bourreau n'est sûr de retrouver son prisonnier à l'aube, que le poteau d'exécution reste parfois sur sa faim, qu'aucune idéologie ne réussira jamais à cadenasser quiconque et qu'aucun dogue affidé à cette idéologie ne sera capable d'empêcher les hommes de partir regagner leur Liberté, ce pain de l'âme, aussi nécessaire à la vie que le pain du ventre.

Matériel emporté

De même qu'il y a une poésie de la toponymie
et que les atlas sont les recueils de cette poésie-là,
il y a une poésie des inventaires
et les sacs à dos sont les recueils de cette poésie-là
et voici ce qu'il y avait dans le mien :

Un sac de couchage
Une tente-bivouac
Un demi-tapis de sol
Un maillot de corps
Un caleçon
Un pantalon
Une fourrure polaire
Une veste de montagne
Une couverture de survie
Un GPS
Une boussole
Une montre-altimètre-baromètre-compas
Des cartes
Un canif de petite taille

Un poignard
Une moustiquaire de tulle
Un chapeau de toile
Une paire de lunettes de rechange
Une flûte à bec
Un cahier en papier de riz népalais et un stylo
Une aiguille et du fil à coudre les chairs
Une seringue intra-veineuse
Une anthologie de la poésie française (Jean-François Revel, Bouquins)
Un petit dictionnaire de chinois
C'est tout.

Remerciements

Pour des commodités de rédaction, je n'ai pas mentionné toutes les retrouvailles au cours de mes neuf mois de voyage avec Nicolas Millet et Thomas Goisque.

L'un et l'autre sont venus filmer et photographier à trois reprises.

Nicolas Millet dans le Transsibérien et à Iakoutsk, à Oulan-Bator et à Darjeeling.

Thomas Goisque à Oulan-Bator, à Lhassa et à Darjeeling.

Tous deux m'ont apporté à chaque séjour (qui durait une quinzaine de jours) leur amitié précieuse et mon courrier. J'attendais les rendez-vous avec une impatience fébrile.

Nicolas, en outre, est mon cousin germain. Notre grand-père maternel, africaniste, amoureux de la géographie et de l'histoire, trop souffrant hélas pour accomplir le voyage de ses rêves (la remontée à pied du sud au nord du rift africain dans les pas du premier Homme) est mort avant d'avoir su que ses deux petits-fils aînés emprunteraient de concert les chemins du monde.

Une pensée me vient pour d'autres gens chers à mon âme.

Jane Sctrick et Jean-Pierre Sicre, qui dirigent Phébus et sont chercheurs de trésors, ont republié *À marche forcée* en 2002. C'est également chez Phébus qu'on trouve les livres d'Ossendowski, de Bauer, de Kröger qui, tous, traitent de l'évasion ou de la détention dans cette partie du monde faite de taïgas et de steppes.

Jean-Christophe Buisson, qui aime la liberté, nous a aidés ardemment.

Jacques Rossi est mort en juin 2004, à l'âge de quatre-vingt-quinze ans, au foyer polonais des Œuvres de saint Casimir, entouré par le dernier carré de ses amis et notamment par ses traductrices. Il avait purgé une longue peine dans un goulag sibérien. Il a écrit ce qu'il savait des camps dans plusieurs beaux ouvrages et notamment dans *Le Manuel du Goulag* (Le Cherche Midi). Son corps malade fut sa dernière prison.

Charles Gazelle a produit, il y a quelques années, un documentaire intitulé *Les Français du Goulag*. Sa maison de production, « Transparences », a produit le film de mon aventure réalisé par Nicolas Millet : *Les Chemins de la liberté*.

Isabelle Susini de Patagonia n'aime pas que les gens aient froid.

Dimitri Tzanos connaît du monde en Iakoutie pour avoir traversé la région à cheval, il y a quelques années.

André de Bokay a partagé avec moi un étrange moment de lecture de *À marche forcée* qui prouve qu'en ce monde il n'y a pas de hasard.

Bernard Bèzes de l'Institut géographique national m'a procuré de précieuses cartes.

Sur la route, merci à :

Jacques von Polier, fondateur du *davaïsme*, réfugié culturel à Moscou.

Vera et Galina, bonnes fées de Iakoutsk.

Aliona, triste demoiselle des bords de la Lena.

Stepan Soltnikov, échoué sur les rivages de l'après-soviétisme.

Vladimir et Victor, de la mine d'or de Moldvo.

Georgiu, président du yacht-club de Severobaïkalsk.

Heater et Brandan Nelson, kayakistes américains.

Sacha, skipper du Baïkal.

Natalia Raspoutina, qui parle le français comme je voudrais parler le russe.

Vatslav, directeur du centre culturel polonais de Oulan-Oudé.

Anatoli, chaman.

Carlo et Corinne, jeunes Helvètes.

Youri Nikolaevitch Krouchkine, linguiste, historien.

Sanduin Idshinnorov, directeur du musée d'histoire mongole d'Oulan-Bator.

Ch. Tsedendamba, lama du monastère de Dashcheilon, Oulan-Bator.

Munkhdalain Rinchin, directeur du centre de recherches d'Oulan-Bator sur la répression politique.

Amaara Myagmarsuren, princess of the steppes.

Arkong, Ruiden, Mollah, Tournié, Santié, clochards célestes.

Au colonel Singh, du Himalayan Mountaineering Institute.

Aux agents anglais (et en particulier au jeune homme roux) du British Council de Calcutta qui ont été fort intéressés par mon voyage et m'ont aidé formidablement à débrouiller certaines difficultés, après que je me fus heurté (comme à l'accoutumée depuis douze ans que je voyage) à la porte fermée des représentations consulaires françaises. C'est que le personnel diplomatique de la République a horreur des vagabonds...

Adoraa de la Saint-Sylvestre.

Isabelle Vayron, amie, motarde, cavalière qui cherche sur les routes du monde un moyen élégant de casser son joli cou.

Stéphanie, retrouvée à Calcutta, ville-théâtre dont elle n'a pas trop aimé le spectacle.

Troy Davis, de la Fondation des Citoyens du Monde, fils de Garry Davis, rencontré dans l'avion de Bombay à Paris et qui m'a (presque) converti à sa théorie de démocratie planétaire.

Priscilla Telmon enfin, qui sait qu'aucun mauvais ressac ne vient à bout des récifs coralliens.

Le voyage sur l'axe du loup a été parrainé par la Société des Explorateurs Français et la Guilde

Européenne du Raid. Merci à Patrick Edel, Cléo Poussier, Claude Colin Dellavaud et Patrice Franceschi.

Toutes les photos de Thomas Goisque ont été réalisées pour le *Figaro Magazine*. Merci à messieurs Montali et Macé-Scaron.

Table